文学创作卷

新青年
LA JEUNESSE

张宝明 主编 张 剑 副主编

4

新文化元典
丛书

河南文艺出版社

图书在版编目（CIP）数据

新青年.文学创作卷/张宝明主编.—郑州：河南文艺出版社，2016.5（2025.1重印）

（新文化元典丛书）

ISBN 978-7-5559-0344-4

Ⅰ.①新… Ⅱ.①张… Ⅲ.①期刊-汇编-中国-民国 Ⅳ.①Z62

中国版本图书馆 CIP 数据核字（2015）第 286620 号

总策划	王国钦
策　划	李　辉
责任编辑	李　辉
美术编辑	吴　月
责任校对	丁淑芳
装帧设计	张　胜

出版发行	河南文艺出版社
本社地址	郑州市郑东新区祥盛街 27 号 C 座 5 楼
承印单位	河南省四合印务有限公司
经销单位	新华书店
纸张规格	640 毫米×960 毫米　1/16
印　　张	15
字　　数	165 000
版　　次	2016 年 5 月第 1 版
印　　次	2025 年 1 月第 5 次印刷
定　　价	29.00 元

版权所有　盗版必究

图书如有印装错误，请寄回印厂调换。

印厂地址　焦作市武陟县詹店镇詹店新区西部工业区凯雪路中段

邮政编码　454950　　电话　0391-8373957

出版说明

一、为纪念《新青年》(原名《青年杂志》)创刊100周年,本社特别策划出版"新文化元典丛书"。

二、本丛书由著名学者张宝明主编并提供稿本,由本社分"平装普及"与"精装典藏"两个版本先后出版。"普及版"以大众阅读为目标,分为"政治卷""思潮卷""哲学卷""文学创作卷""文学批评卷""文字卷""翻译卷""青年妇女卷""文化教育卷""随感卷"10卷;"典藏版"以学者研究为指归,延续了本社1998年版《回眸〈新青年〉》的版本形式,分为"哲学思想卷""社会思潮卷""语言文学卷"3卷。

三、本丛书在编辑过程中,对文章内容(包括当时特殊的语言、语法使用,习惯性虚词、数字、异体字用法,对外文中人名、地名的个性化翻译等)及作者署名均以其原貌呈现。为方便今天读者阅读,本次出版对原文中的繁体字进行了简体转换,对可以确定的技术性错讹进行了订正,对个别的标点符号用法进行了相对规范。对错讹较多的英语、俄语等外文,特邀有关专家进行了认真校订。

四、"随感卷"内容选自《新青年》原版各卷中的"随感录"。因原文发表时大部分并无标题,本次专卷出版的标题为主编所加。

五、本丛书的策划出版,也是我们对2019年"五四"运动100周年的一次提前纪念。

河南文艺出版社
2016年5月

回眸：唯以深情凝望……（代序）

张宝明

1492年10月11日,克里斯托弗·哥伦布看见海上漂来一根芦苇,欢呼雀跃地宣布了被称为"救世主"之新大陆的发现。

1915年9月,《青年杂志》创刊。这就是那个日后易名为《新青年》的月刊,她从此成为一代又一代青年人心目中拨云见日的精神新大陆。

饶有情趣的是,无论是彼岸还是此岸的"新大陆",其发现过程都需要有敢于冒险的勇气、勇于担当的气魄、胸怀天下的责任。500年前,哥伦布想方设法说服了西班牙女王得以扬帆;100年前,陈独秀费尽口舌让出版商动心,在那出版业凋敝、萧条的时代,主编那"让我办十年杂志,全国思想全改观"的信誓旦旦背后多少有些心酸。

一个世纪过去了,重温百年历史记忆,翻阅那一页页泛黄的纸张时,我无法用编选或剪辑来保存这样一个精神存照。

作为20世纪一轮最为壮丽的精神日出,《新青年》以其鲜活的时代性入世,演绎了一台精彩纷呈的思想史专场。她已经在百年的风雨沧桑中固化为一尊灵魂的雕像、一座精神的丰碑。形而下的标本馆可以被肢解、分离，甚至拆卸为齿轮和螺丝钉，可谁若是声称复制出形而上的灵魂标本馆，我们不免顿生疑窦。因为灵魂的雕像和精神的丰碑只能内化于每一个人的心底，存贮于每一个人的心灵。

回望百年，再也没有这样的思想演绎更值得我们咀嚼了。仿佛，她就是我那无法用肉眼观看的神经末梢。岁月陶铸了文化的沧桑，年龄剪断了思想的记忆。"剪不断，理还乱。"因此，面对沧桑的文化记忆，面对凌乱的思想线团，我们无法用具象化的"编选"或"剪辑"称谓，更无法用当年文化先驱的启蒙来"普及"当下的启蒙。这里的思想静悄悄，这里的灵魂无眠，这里精神永远……我们最好的纪念就是无言面对，默默注目，深深凝望……

《新青年》，已经不是当代青年心目中的"新大陆"；回眸《新青年》，无非是想通过那一代知识先驱心中流淌的文字为20世纪中国做一个有血有肉的注脚。发黄的纸张、右行竖迤的文字以及远离的先驱成为朦朦胧胧的追问，我们在回眸中分明看到了自己。我们在解读自己，也在解剖自己，更是在反省着自己。有时，我们又不能不拷问何以如此失去自己。这不是多愁善感，而是因为风雨沧桑的生命之旅招惹了我们的思绪：《新青年》不是一个尘封的历史遗存，而是一个活生生的对象，一段可以触摸的历史，更是一曲跌宕的纸上声音：说你，说他，说我……

风流，不会像诗中说的那样总被雨打风吹去。昔日的倜傥，同样可以因我们的自觉而获得立体的再现。多年之后，长征之后落定延安的毛泽东对埃德加·斯诺吐露心声说：在1916年，我和几个朋友成立了新民学会……许多团体大半都是在陈独秀主编的《新青年》的影响下组织起来的。而我在师范学校读书时，就开始阅读这本杂志了,并且十分崇拜陈独秀和胡适所做的文章。他们成了我的模范,代替了我已经厌弃的康有为和梁启超。青年时代的毛泽东,有很长一段时间都在翻阅、谈论、"思考《新青年》所提出的问题"。1918年2月,读到《新青年》的周恩来在日记中奋笔疾书:晨起读《新青年》,晚归复读之。于其中所持排孔、独身、文学革命诸主义极端赞成。恽代英从武昌写来肺腑之言,盛赞《新青年》的思想价值:我们素来的生活,是在混沌的里面。自从看了《新青年》,渐渐地醒悟过来,真是像在黑暗的地方见了曙光一样。我们对于做《新青年》的诸位先生,实在是表不尽的感激。当时在陆军第二预备学校读书的叶挺也热情洋溢地表达过对《新青年》的仰慕和膜拜:空谷足音,遥聆若渴。明灯黑室,觉岸延丰。最后并以急不可待的心情期盼着"思想界的明星"(毛泽东语)。陈独秀指点迷津:吾辈青年,坐沉沉黑狱中,一纸天良,不绝于缕,亟待足下明灯指迷者,当大有人在也。

热血的政治青年对此刊有一种天然的偏爱,在校读书的文学青年对此更是欢喜。北大学生杨振声曾这样回忆说:像春雷初动一般,《新青年》杂志惊醒了整个时代的青年。冰心也这样评论《新青年》:"五四"运动前后,新思潮空前高涨,新出的报纸杂志像雨后春笋一样,目不暇接。我们都贪婪地争着买,争着借,彼此传阅。其中我最喜欢的是《新青年》里鲁迅先生写的小说,像《狂人日记》等篇,尖锐地抨击吃人的礼教,揭露着旧社会的黑暗和悲惨,读了让人同情而震动。凡此种种,举不胜举。

热血青年如是说,引导"新青年"的当事人更是引以为豪。胡适就曾在20世纪30年代为重印《新青年》激动不已,并挥毫题词:《新青年》是中国文学史和思想史上划分一个时代的刊物。最近二十年中的文学运动和思想改革，差不多都是从这个刊物出发的。胡适为重印《新青年》的广而告之及定位，与其在1923年写给"新青年派"高一涵、陶孟等同人的信中表述一脉相承：二十五年来，只有三个杂志可代表三个时代，可以说创造了三个新时代：一是《时务报》，一是《新民丛报》，一是《新青年》。《民报》与《甲寅》还算不上。题中之意还在于：《新青年》创造了一个崭新时代，永远不会被遗忘和尘封。鲁迅作为"新青年派"的中坚，也曾在为《中国新文学大系》所作的序言中鼓与呼：凡是关心现代中国文学的人，谁都知道《新青年》是提倡"文学改良"，后来更进一步号召"文学革命"的发难者。从学术"象牙塔"走向办杂志、发议论的公共空间，从学问家到舆论家，"新青年派"知识群体经历了一个艰难的选择里程。这里，我们不难从鲁迅心灰意冷的"钞古碑"到满怀激情地"听将令"之转变窥见同人们的"一斑"：但是《新青年》的编辑者，却一回一回的来催。催几回，我就做一篇。这里我必得纪念陈独秀先生，他是催我做小说最着力的一个。

....

我们知道，在世界文明史上，18世纪的法国因其启蒙运动的舆论力量留下盛名，并产生了一批以伏尔泰为精神领袖的舆论之王。当作为社会良知化身的知识分子以公共面目出现时，就获得了舆论家的声誉。胡适这位现身说法的当事人这样用英文将其正名为"Journalist"或者"Publicist"，而且对"意中舆论家"有这样的诉求：有"笔力"、懂国内外"时势"、具"远识"，其中"公心"和"毅力"最不可或缺——这是胡适1915年1月尚在美国留学时日记中记下的夙愿。回国任职北京大学后，学问家的身份反被舆论家的名声所掩盖，他走了一条"一发不可收"的不归路。从此，思想史上的胡适而不是学术上的胡适，成为声名鹊起的一代思想骄子。

《新青年》创刊于上海，兴隆于北京，终结于广州。在这一平台上汇聚起来的"新青年派"同人，学术凹陷，思想凸显；学问淡出，舆论立言。"五四"新文化运动的天空中，最耀眼的是那一抹以"民主""科学"为主调的绚丽彩虹。舆论的彰显与张扬，拉动着中国现代性加速转型。1905年科举的终结，让传统士人走向边缘，而舆论家的身份意识和担当情怀重新将他们推向时代的浪尖和话语的中心。这里，"新青年派"同人不再是书斋里"钻牛角"、翻故纸的学术把玩者，而是一批"执牛耳"、观天下的社会现实参与者。行走于风雨故园中的时代先驱们，可以不是理性、冷静的审慎思考者，却是理想在前、激情在身的担当者。一百年后回眸《新青年》，我们可以为他们的急不择言、话不留余的语言暴力保持一份反思的态度，但毋庸置疑的是，他们留下的文本却为我们读懂20世纪以及当下的中国提供了弥足珍贵的思想路径。从这里，走进历史现场；在这里，读懂近世中国。的确，在享受这一新文化运动元典阅读快感之际，无论如何都无法阻止我们的心跳。

这里，不但有"妙手"写下的"文章"，更有"道义"担当的"铁肩"。《新青年》寻求真理、坚持真理的使命感与历史同在，历历在目；新文化运动敢于担当、勇于担当的责任感与日月同辉，常读常新。听其言——陈独秀在文学革命的战车上立下过"愿拖四十二生的大炮为之前驱"的誓言，还有那振聋发聩之守护"民主""科学"的承诺：西洋人因为拥护德、赛两先生，闹了多少事，流了多少血，德、赛两先生才渐渐从黑暗中把他们救出，引到光明世界。我们现在认定：只有这两位先生，可以救治中国政治上、道德上、学术上、思想上一切的黑暗。若因为拥护这两位先生，一切政府的压迫、社会的攻击笑骂,就是断头流血,都不推辞。信誓旦旦,掷地有声。观其行——1919年6月8日,陈独秀为声援和欢迎"五四"运动中被捕出狱的学生撰写的《研究室与监狱》就是一篇激情四溢、气势磅礴的短平快舆论:世界文明发源地有二:一是科学研究室,一是监狱。我们青年要立志出了研究室就入监狱,出了监狱就入研究室,这才是人生最高尚优美的生活。从这两处发生的文明,才是真正的文明,才是有生命有价值的文明。陈独秀雄于言、力于事的个性和品格,在舆论抛出三天之后"知行合一"。被胡适誉为"一个有主张的'不羁之才'"的陈独秀,在经过三个月的监禁后,成为中国共产党的创始人。

无独有偶,作为《新青年》主力的舆论家胡适向来以性格稳健、思想"健全"著称。即使如此,他在"新青年派"同人营造的公共空间里丝毫不减锐气,文风堪称犀利直接、所向披靡。如同我们看到的那样,当《民国日报》记者邵力子以北洋政府下令"取缔新思想"之舆情发难胡适,并"三十六计,走为上计"揣测其生病住院时,当事人严正地在《努力周报》上发布公告:我是不跑的,生平不知趋附时髦;生平也不知躲避危险。封报馆,坐监狱,在负责任的舆论家的眼里,算不得危险。然而,"跑"尤其是"跑"到租界里去唱高调:那是耻辱!那是我决不干的!这就是"新青年"那一代知识先驱的共同心声和承诺。知其言,观其行。新文化运动的舆论家就是这样直面着人生、关注着社会、履行着诺言、担当着责任。胡适很早就认识到"舆论家之重要"并"以舆论家自任"。应该说,无论是陈独秀还是胡适,尽管在北京大学地位显赫,但真正"暴得大名"并在中国政治史、思想史、文化史上留下重要的影响,依靠的不是作为学问家的"学术"志业,而是以不安本分的"舆论家"起家。在《新青年》周围,一个知识群体为国家、民族的现代性演进而不遗余力地万丈激情挥洒自如。不甘于自处出世、超然的边缘,而要走向中心,有所担当的"家国""天下"情怀体现得淋漓尽致。

百年回眸,在演出那场思想史专场的新文化思想舞台上,海归们给沉寂的中国注入了前所未有的生机。陈独秀、胡适、周作人、鲁迅、李大钊、钱玄同、刘半农、高一涵、沈尹默……"新青年派"同人扬鞭策马、奋笔疾书。本来,学术是他们的安身立命之本,学问家应该是他们原汁原味的角色担当。但是,归国后面对中国的现实,让他们有一种坐不住、不安分的冲动,携带着西方文明的种子,他们很快从一身长衫的学问家华丽转身为西装革履的舆论家,成为指点江山、激扬文字的中心人物……

百年回眸,新文化元典已经走过了一个世纪。在"知识分子到哪里去了""知识分子还能感动中国吗""人文学还有存在的必要吗"之追问不绝于耳的今天,重读《新青年》是那样的情真意切。只要启蒙还没有"普及",只要"五四"先驱设计的目标还没有抵达,只要"中国梦"还在路上,我们就不能不读《新青年》!百年回眸,那是一个渐行渐远的大时代。我们只有以这样的方式默行注目礼……

百年回眸,《新青年》同人打造的"金字招牌"历历在目。当我们手捧10卷本"普及版"的时候,其实我们是在"提高"着对自我与这个时代的认知。本来,"普及"和"提高"就是一个问题的两个方面,无法化约,采用这样的划分完全是为了阅读的需要。我们深知,其中的每一卷都是一个个精神的制高点、诗意心灵的停泊站:"政治卷""思潮卷""哲学卷""文字卷""文学创作卷""翻译卷""文学批评卷""随感卷"的单打以及"青年妇女卷""文化教育卷"

的组合,都能够给读者带来无限的遐想。一杯茶,或一杯咖啡,在原汁原味的隽永文字中咀嚼、品味、思考,唯有这样的互动才能使我们徜徉于心旷神怡的天地。或浓烈,或淡雅,或遥远,或温馨,思想的滋味本来如此……

目录

小说

碎簪记 …………………………………… 苏曼殊 3

碎簪记(续前号) ………………………… 苏曼殊 12

狂人日记 ………………………………… 鲁　迅 20

孔乙己 …………………………………… 鲁　迅 31

药 ………………………………………… 鲁　迅 36

风波 ……………………………………… 鲁　迅 45

小雨点 …………………………………… 陈衡哲 53

故乡 ……………………………………… 鲁　迅 60

话剧

老夫妻 …………………………………… 陈衡哲 73

终身大事(游戏的喜剧) ………………… 胡　适 76

散文·诗歌

皖江见闻记 ……………………………… 高一涵 91

罗丹	张嵩年	98
寄会稽山人八十四韵	谢无量	101
春日寄怀马一浮	谢无量	104
白话诗八首	胡适	105
鸽子	胡适	108
鸽子	沈尹默	109
人力车夫	沈尹默	110
人力车夫	胡适	111
相隔一层纸	刘半农	112
月夜	沈尹默	113
老鸦	胡适	114
游香山纪事诗	刘半农	115
新婚杂诗	胡适	118
雪	沈尹默	121
学徒苦	刘半农	122
梦	唐俟	123
爱之神	唐俟	124
桃花	唐俟	125
卖萝卜人	刘半农	126
春水	俞平伯	128
他们的花园	唐俟	130
人与时	唐俟	131
窗纸	刘半农	132
无聊	刘半农	134
月	沈尹默	135

耕牛	沈尹默	136
三弦	沈尹默	137
"人家说我发了痴"	陈衡哲	138
香山早起作，寄城里的朋友们	沈兼士	141
三溪路上大雪里一个红叶	胡适	142
山中杂诗一	沈兼士	143
山中杂诗二	沈兼士	144
刘三来言子谷死矣	沈尹默	145
悼曼殊	刘半农	146
小河	周作人	149
两个扫雪的人	周作人	153
微明	周作人	154
生机	沈尹默	155
他	唐俟	156
一颗星儿	胡适	158
鸟	陈衡哲	159
散伍归来的吉普色	陈衡哲	161
威权	胡适	163
欢迎独秀出狱	李大钊	164
乐观	胡适	166
小妹	沈尹默	168
东京炮兵工厂同盟罢工	周作人	169
答半农的D——诗	独秀	171
爱与憎	周作人	175
小湖	刘半农	176

一个农夫 ……………………	双　明	178
泥菩萨 ……………………	双　明	179
紫踯躅花之侧 ……………………	康白情	180
牧羊儿的悲哀 ……………………	刘　复	181
地中海 ……………………	刘　复	183
绍兴西郭门的半夜 ……………………	俞平伯	185
《尝试集》集外诗五篇 ……………………	胡　适	188
秋夜 ……………………	玄　庐	194
儿歌 ……………………	周作人	196
乐观 ……………………	俞平伯	197
梦与诗 ……………………	胡　适	200
奶娘 ……………………	刘　复	202
一个小农家的暮 ……………………	刘　复	204
病中的诗 ……………………	周作人	206
山居杂诗 ……………………	周作人	213
平民学校校歌 ……………………	胡　适	217
希望 ……………………	胡　适	218
悲哀的青年 ……………………	汪静之	219
飞来峰和冷泉亭 ……………………	瞿秋白	221
出狱 ……………………	刘拜农	222

小 说

碎簪记

苏曼殊

余至西湖之第五日,晨餐甫罢,徘徊于南楼之上,钟声悠悠而逝。遥望西湖风物如恒,但与我游者乃不同耳。计余前后来此凡十三次,独游者九次,共昙谛法师一次,共法忍禅师一次,共邓绳侯、独秀、山民一次,今即同庄湜也。此日天气阴晦,欲雨不雨,故无游人,仅有二三采菱之舟出没湖中。余忽见杨缕毵毵之下,碧水红莲之间,有扁舟徐徐而至,更视舟中,乃一淡装女郎,心谓此女游兴不浅,何以独无伴侣?移时舟停于石步,此女风致,果如仙人也。至旅邸之门,以吾名氏叩阍者,阍者肃之登楼。余正骇异,女已至吾前,盈盈为礼,然后赧然言曰:"先生幸恕唐突,闻先生偕庄君同来,然欤?"余漫应曰:"然。"女曰:"妾为庄君旧友,特来奉访。敬问先生,庄君今在否?"余曰:"晨朝策马自去,或至灵隐、天竺间,日暮归来,亦未可定。君有何事,吾可代达也。"尔时女若有所思,已而复启余曰:"妾姓杜,名灵芳,住湖边旅舍第六号室。敬乞传语庄君,明日上午,惠过一谈。但有渎清神,良用歉仄耳。"余曰:"敬闻命矣。"女复含赧谢余,打桨而去。余此际神经颇为此女所扰,此何故哉?一者,吾友庄湜,恭慎笃学,向未闻与女子交游,此女胡为乎来?二者,吾与此女无一面之雅,何由知吾名姓?又知庄湜同来?

三者,此女正当绮龄,而私约庄湜于逆旅,此何等事。若谓平康挟瑟者流,则其人仪态万方,非也！若谓庄湜世交,何以独来访问,不畏多言耶？余静坐沉思,久乃耸然曰:"天下女子皆祸水也！"余立意既定,抵莫,庄湜归,吾暂不提此事。明日,余以电话询湖边旅舍曰:"六号室客共几人？"曰:"母女并婢三人。"曰:"从何处来？"曰:"上海。"曰:"有几日住？"曰:"饭后乘快车去。"余思此时即使庄湜趋约,亦不能及。又思此亦细事,吾不语庄湜,亦未为无信于良友也。又明日为十八日,友人要余赴江头观潮,并观三牛所牵舟。庄湜倦,不果行。迄余还,已灯火矣。余不见庄湜,问之阍者。阍者云:"其于六句钟,得一信,时具晚膳,独坐不食,须臾外出,似有事也。"余即往觅之,沿堤行至断桥,方见庄湜临风独盼。余曰:"露重风多,何为不归？"庄湜不余答,但握余手,顺步从余而返。至旅邸,余罢甚,即就寝,仍未与言女子过访之事也。余至夜半忽醒,时明月侵帘。余披衣即帘下窥之,湖光山色,一一在目,此景不可多得。余欲起庄湜同观,正衣步至其榻,榻空如也。余即出楼头觅之。时万籁俱寂,瞥眼见庄湜枯立栏前,余自后凭其肩,借月光看其面,有无数湿痕。余问之曰:"子何思之深耶？"庄湜仍不余答,但悄然以巾掩泪。余心至烦乱,不知所以慰之,惟有强之就榻安眠。实则庄湜果能安眠否,余不知之,以余此夜亦似睡而非睡也。翌朝,余见庄湜面灰白,双目微红,食不下咽,其心似曰:"吾幽忧正未有艾,吾殆无机复吾常态,与畏友论湖山风月矣。"饭罢,余庄容语之曰:"子自昨日,神色大变,或有隐恫在心,有触而发未尝与我一言,何也？试思吾与子交厚,昨夜睹子情况,使吾与子易地而处,子情何以堪？"此时余反覆与言,终不一答。余不欲扰其心绪,遂与放舟同游,冀有以舒其忧郁,而庄湜始终不稍吐其心事。余思庄湜天性至厚,此事不欲与我言者,必有难言之隐。昨日阍者所云得一信,宁非女郎手笔?吾不欲与庄湜提女子事者,因吾知庄湜用情真挚,而年鬓尚轻,恐一失足,万事瓦解。吾非谓人间不得言爱也。今兹据此情景,则庄湜定与淡装女郎有莫大关系。吾老于忧患矣,无端为庄湜动我缠绵悱恻之感,何哉?余同庄湜既登孤山,见碧睛国人数辈在放鹤亭游览。忽一碧睛女子高歌曰:"Love is enough. Why should we ask for more?"女歌毕,即闻空谷作回音,亦曰:"Love is enough. Why should we ask for more?"时一青年继曰:"O! you kid! Sorrow is the depth of Love."空谷作抗音如前,游人均大笑。余见庄湜亦笑,然而强笑不欢,益增吾悲耳。连日天晴湖静,余出必强庄湜同行。余视庄湜愁潮稍退,渐归平静之境,然庄湜弱不胜衣,如在大病之后。余则如泛大海中,但望海不扬波,则吾友之心,庶可收拾。一日,庄湜忽问余曰:"吾骑马出游之日,曾有老人觅我否?"余即曰:"彼日觅子者,非老人,乃一女郎。"庄湜愕视余曰:"女子耶?彼曾有何语?"余始将前事告之,并问曰:"彼女子何人也?"庄湜思少间,答曰:"吾知之而未尝见面者也。"余曰:"始吾不欲以儿女之情,扰子游兴,故未言之。今兹反使我不能无问者,子何为得书而神变耶?吾思书必为彼女子所寄,然耶?否耶?"庄湜急曰:"否,乃叔父致我者。"余又问曰:"然则书中所言,与女子过访,不相涉耶?"庄湜曰:"彼女过访,实出吾意料之外。君言之,我始知之。"余又问曰:"如彼日子未外出,亦愿见彼女子否?"庄湜曰:"不愿见之。"余又问曰:"子何由问我有无老人来过?彼老人何人也?"庄湜曰:"恐吾叔父来游,不相值耳。"亡何,秋老冬初,庄湜束装归去。余以肠病复发,淹留湖上,或观书,或垂钓,或吸吕宋烟,用已吾疾,实则肠疾固难已也。他日更来一女子,问庄湜在否。余曰:"早已归去。"余且答且细瞻之,则容光靡艳,丰韵娟逸,正盈盈十五之年也。女闻庄湜已归,即惘惘乘轩去。余沈吟叹曰:"前后访庄湜者两人,均丽绝人寰者也。今姑不问二人与庄湜何等缘分,然二人均以不遇庄湜忧形于色,则庄湜必为两者之意中人无疑矣。但不知庄湜心在阿谁边耳?"又思:"庄湜曾言不愿见前之女子,今日使庄湜在者,愿见之乎?抑不愿见之乎?吾今无从而窥庄湜也。夫天下最难解决之事,惟情耳。庄湜宵深掩泪时,余心知此子必为情所累,特其情史,未之前闻。余又深信庄湜心无二色,昔人有言:'一丝既定,万死不更。'庄湜有焉。今探问庄湜者,竟有二美,则庄湜之不幸,可想而知。哀哉!恐吾良友,不复永年。故余更曰:'天下女子皆祸水也!'"半月余亦归沪。行装甫卸,即访庄湜。其婶云:"湜日来忽发热症,现住法国医院。"余驰院看之。庄湜见余,执余手,不言亦不笑。余问之曰:"子病略愈否?"庄湜但点首而已。余抚其额,热度亦不高。余此时更不能以第二女访问之事告之,故余亦无言,默坐室内,可半句钟,见庄湜闭睫而卧。适医者入,余低声以病状问医者。医者谓其病症甚轻,惟神经受伤颇重,并嘱余不必与谈往事。医者既行,余出表视之,已八句钟又十分矣。余视庄湜仍贴然而睡,起立欲归。方启扉,庄湜忽张目向余曰:"且勿遽行,正欲与君作长谈也。"余曰:"子宜静卧,吾明晨再至。"庄湜曰:"吾事须今夕告君,君请坐。吾得对君吐吾衷曲,较药石为有效验。吾见君时,心绪已宁,更有一事。吾今日适接杜灵芳之简,约于九句钟来院。吾向医者言明,医者已许吾谈至十句钟为止。此子君曾于湖上见之,于吾为第一见,故吾求君陪我,或吾辞有不达意者,君须助我。君为吾至亲爱之友,此子亦为吾至亲爱之友,顾此子向未谋面,今夕相逢,得君一证吾心迹,一证彼为德容俱备之人,异日或能为我求于叔父,于事滋佳。"庄湜且言且振作其精神,不似带病之人,余心始释。然余思今夕处此境地,实生平所未经。盖男女慕恋,憔悴哀痛而外无可言,吾何能于其间置一词哉?继念庄湜今以一片真诚求我,我何忍却之?余复默坐。少间,女郎已至,驻足室外。庄湜略起肃之入。余鞠躬与之为礼。庄湜肃然言曰:"吾心慕君,为日非浅,今日始亲芳范,幸何如也!"此际女郎双颊为酡,羞赧不知所对。庄湜复曰:"在座者,即吾至友曼殊君,性至仁爱,幸勿以礼防为隔也。"女始低声应曰:"知之。"庄湜曰:"吾无时不神驰左右,无如事多乖忤,前此累次不愿见君者,实不得已。未审令兄亦尝有书传达此意否?"女复应曰:"知之。"庄湜曰:"余游西湖之日,接叔父书,谓闻人言,君受聘于林姓,亲迎有日,然欤?"女容色惨沮,而颤声答曰:"非也。"庄湜继曰:"如此事果确者,君将何以……"语未毕,女截断言曰:"碧海青天,矢死不易,吾初心也!"庄湜心为摧折,不复言者久之。女忽问曰:"妾中秋侍家母之钱塘观潮,令叔已知之耶?"庄湜曰:"或知之也。"女曰:"妾湖上访君未遇,令叔亦知之耶?"庄湜曰:"唯吾与曼殊君知之耳。"女曰:"令叔今去通州,何日归耶?"庄湜曰:"不知。"女郎至此欲问而止者再,已而嗫嚅问曰:"君与莲佩女士曾见面否?与妾同乡同塾,其人柔淑堪嘉也。"庄湜曰:"吾居青岛时,曾三次见之,均吾姊绍介。"女曰:"君偕曼殊君游湖所在,是彼告我者。彼今亦在武林,未与湖上相遇耶?"庄湜曰:"且未闻之。"此际,余始得向庄湜插一言曰:"子行后,果有女子来访。"女惊向余曰:"请问先生,得毋密发虚鬟亭亭玉立者欤?"余曰:"是矣。"庄湜闻言,泪盈其睫。女郎蹶然就榻,执庄湜之手,泫然曰:"君知妾,妾亦知君。"言次,自拔玉簪授庄湜曰:"天不从人愿者,碎之可尔。"余心良不忍听此女作不祥之语。余视表,此时刚十句钟矣,余乃劝女郎早归,裨庄湜安歇。女郎默默与余握手,遂凄然而别。嗟乎!此吾友庄湜与灵芳会晤之始,亦即会晤之终也。余既别庄湜灵芳二人而归,辗转思维,终不得二子真相。庄湜接其叔书,谓灵芳将结缡他姓,则心神骤变,吾亲证之,是庄湜爱灵芳真也。余复思灵芳与庄湜晋接时,虽寥寥数语,然吾窥伺此女有无限情波,实在此寥寥数语之外。余又忽忆彼与余握别之际,其手心热度颇高,此证灵芳之爱庄湜亦真也。据二子答问之言推之,事或为其叔中梗耳。庄湜云与莲佩凡三遇,均其婶氏引见,则莲佩必为其叔婶所当意之人。灵芳问我"密发虚鬟,亭亭玉立",此八字者,舍湖上第二次探问庄湜之女郎而外,吾固不能遽作答辞也。然则所谓莲佩女士者,余亦省识春风之面矣。弟未审庄湜亦爱莲佩如爱灵芳否?莲佩亦爱庄湜如灵芳否?既而余愈思愈见无谓,须知此乃庄湜之情关玉扃,并非属我之事也,又奚可以我之理想,漫测他人情态哉?余乃解衣而睡,遂入梦境。顾梦境之事,似与真境无有差别。但以我私心而论,梦境之味,实长于真境滋多。今兹请言吾梦,梦偕庄湜、灵芳、莲佩三子,从锦带桥泛棹里湖,见四围荷叶已残破不堪,犹自战风不已,时或泻其泪珠,一似哀诉造物。余怜而顾之,有一叶摇其首而对余曰:"吾非乞怜于尔,尔何不思之甚也?"将至西泠桥下,灵芳指水边语莲佩曰:"此数片小花,作金鱼红色者,亦楚楚可人。先吾亲见之而开,今吾复亲见之而谢,此何花也?"莲佩曰:"吾未识之,非苹花耶?"庄湜转以问余。余曰:"此与苹同种而异类,俗名'鬼灯笼',可为药料者也。"言时,已过西泠桥。灵芳、莲佩忽同声歌曰:"同携女伴踏青去,不上道傍苏小坟。"俄而歌声已杳。余独卧胡床之上,窗外晨曦在树,晓风新梦,令人惘然。余饭后,复至医院,以紫白相间之花十二当赠庄湜。庄湜静卧榻上。昨夕之事,余不欲重提只字,乃絮论湖上之游。明知此于庄湜为不入耳之言,然余不得不如是也。余见昨夕女所遗簪,犹在枕畔,因谓庄湜曰:"此物子好自藏之。"庄湜开眸微视,则摇其首。余为出其巾裹之,置枕下。已而,庄湜向余曰:"吾婶晨朝来言,吾叔将归,与吾同居别业。"余曰:"令叔年几何?"庄湜曰:"六十一。"继曰:"吾叔屡次阻吾与灵芳相见,吾至今仍不审其所以然。然吾心爱灵芳,正如爱吾叔也。"余顺问曰:"灵芳之兄,何人也?"庄湜曰:"吾同学而肝胆照人者也。"余曰:"彼今何在?"曰:"瑞士。"余曰:"有书至否?"曰:"有,书皆为我与灵芳之事者。"余曰:"云何?"曰:"劝我邀求阿婶早订婚约,但吾婶之意则在莲佩。"余曰:"莲佩何如人耶?"曰:"彼为吾婶外甥,幼工刺绣,兼通经史,吾婶至爱之。"余即接曰:"子亦爱之如爱灵芳耶?"庄湜微叹而答曰:"吾亦爱之如吾婶也。"余曰:"然则二美并爱之矣。"庄湜复叹曰:"君思'弱水三千'之义,当识吾心。"余曰:"今问子,心所先属者阿谁?"曰:"灵芳。"余曰:"子先觏面者为莲佩,而先属意者乃灵芳,其故可得闻欤?"曰:"前者吾游京师,正袁氏欲帝之日。某要人者,吾故人也。一日,招我于其私宅,酒阑,出文书一纸,嘱余译以法文。余受而读之,乃通告列国文件,盛载各省劝进文中之警句,以证天下归心袁氏。余以此类文句,译成国外之语,均虚妄怪诞、诡谀便辟之辞,非余之所能胜任也,于是敬谢不敏。某要人曰:'子不译之,可。'今但恳子联名于此,愿耶? 余曰:'我非外交官,又非元老,何贵署区区不肖之名?'遂与某要人别。三日,有巡警提余至一处,余始知被羁押。时杜灵运为某院秘书,闻吾为奸人所陷,鼎力为余解免。事后弃职,周游大地,今羁瑞士。灵运弱冠失父,偕灵芳游学罗马四年,兄妹俱有令名者也。当余新归海上,偕灵运卜居涌泉路,肥马轻裘与共。灵运将行,余与之同撮一小影,为他日相逢之券。积日,灵运微示其贤妹之情,拊余肩而问曰:'亦有意乎?'余感激几于泣下,其时吾心许之,而未作答词焉。吾思三日,乃将灵运之言闻于叔婶,叔婶都不赞一辞,吾亦置之不问。一日,灵运别余,萧然自去。灵运情义,余无时不深念之,顾虽未见其妹之面,而吾寸心注定,万劫不能移也!"余曰:"子既爱之,而不愿见之,是又何故?"庄湜曰:"始吾不敢有违叔父之命也。"余曰:"佳哉!为人子侄,固当如是。今吾思令叔之所以不欲子与灵芳相见者,亦以子天真诚笃,一经女子眼光所摄,万无获免。此正令叔慈爱之心所至,非猜薄灵芳明矣。吾今复有一言进子。以常理度之,令叔婶必为子安排妥当,子虽初心不转,而莲佩必终属子。子若能急反其所为,收其向灵芳之心,移向莲佩,则此情场易作归宿,而灵芳亦必有谅子之一日。不然者异日或有无穷悲慨,子虽入山,悔将何及?"余言至此,庄湜面色顿白,身颤如冒寒,余颇悔失言。然而为庄湜计,舍此再无他言可进。余待庄湜神息少靖乃去。数日,其叔婶果挈庄湜居于江湾之别业。余往访之,见其叔手《东莱博议》一卷,坐藤椅之上,且观且摇其膝。庄湜引余至其前曰:"阿叔,此吾友曼殊君,同吾游武林者也。"其叔闻言,乃徐徐脱其玳瑁框大眼镜,起立向余略点其首问曰:"自上海来乎?"余曰:"然。"又曰:"吾闻汝足迹半天下,甚善,甚善。今日天色至佳,汝在此可随意游览。"余曰:"敬谢先生。"时侍婢将茶食陈于藤几之上。庄湜引余坐定,其叔劝进良殷,以手取山楂糕、糖莲子分余,又分庄湜。余密觇其爪甲颇长,且有黑物藏于爪内,余心谓:"墨也,彼必善爪书。"茶既毕,庄湜导余观西苑。余且行且语庄湜曰:"令叔和蔼可亲,子试自明心迹,于事或有济也。"庄湜曰:"吾叔恩重,所命靡不承顺,独此一事,难免有逆其情意之一日，故吾无日不耿耿于怀。迹吾叔心情，亦必知之而怜我。特以此属自由举动，吾叔故谓蛮夷之风不可学也。"尔时隆隆有车声，庄湜与余即至苑门。车门既启，一女子提其纤鞋下地。余静立瞻之，乃临存湖上之第二女郎也。女一视余，即转目而视庄湜，含娇含笑，将欲有言。余知庄湜中心已战栗，但此时外貌矫为镇定。女果有言曰："闻玉体有疴，今已平善耶？"庄湜曰："谢君见问，愈矣。"女曰："吾前归自青岛，即往武林探君，不料君已返沪。"言至此，回其清盼而问余曰："曼殊先生，归几日矣？"余曰："归已六日。"女少思，已而复问庄湜曰："湖上遇灵芳姊耶？"庄湜曰："彼时适外出，故未遇之。"女急续曰："然则至今亦未之见面耶？"此语似夙备者。斯时庄湜实难致答，乃不发一言。女凝视庄湜，而目中之意，似曰："枕畔赠簪之时，吾一一知之矣。"少选，侍婢请女入。余同庄湜往草场中，徘徊流盼。忽而庄湜颜色惨白，凝立不动。余再三问之，始曰："余思及莲佩前此垂爱之情及阿婶深恩，而吾今兹爱情所向，乃乖忤如是，中心如何可安？复悟君前日训迪之言，吾心房碎矣！"余见庄湜忧深而言婉，因慰之曰："子勿戚戚弗宁，容日吾当代子陈情于令叔，或有转机，亦未可料。"实则余作此语，毫无把握。然而溺于爱者，乃同小儿。其视吾此语，亦如小儿闻人话饼，庄湜又焉知余之所惴惴者耶？

（未完）

（第二卷第三号，一九一六年十一月一日）

碎簪记（续前号）

苏曼殊

余辞庄湜归，中途见一马车瞥然而过。车中人，即莲佩也。其眼角颇红。余心叹此女，实天生情种，亦横而不流者矣。方今时移俗易，长妇姹女，皆竞侈邪，心醉自由之风。其实假自由之名而行越货，亦犹男子借爱国之义而谋利禄。自由之女，爱国之士，曾游女市侩之不若。诚不知彼辈性灵果安在也！盖余此次来沪，所见所闻，无一赏心之事。则旧友中不少怀乐观主义之人。余平心而论，彼负抑塞磊落之才，生于今日，言不救世，学不匡时，念天地之悠悠，唯有强颜欢笑，情郁于中，而外貌矫为乐观。迹彼心情，苟谓诸国老独能关心国计民生则亦未也。迄余行至黄浦时约十句钟，扪囊只有铜板九枚。心谓为时夜矣，复何能至友人住宅？昔余羁异国，不能谋一宿。乃往驿路之待客室，吸烟待旦。此法独不能行之上海。余径至一报馆访某君。某君方埋首乱纸堆中，持管疾书。见余笑曰："得毋谓我下笔千言、胸无一策者耶？"余曰："此不生问题者也。夜深吾无宿处，故来奉扰。"其君曰："甚善！吾有烟榻，请子先卧。吾毕此稿，即来共子余谈。吾每日以勋爵勋爵入阁入阁诸名词见累，正欲得素心人一谈耳。"余问曰："子于何时就寝？"某君曰："明晨五六点钟，始能就寝。子不知报馆中人，一若依美国人之起卧为准则耶？"余曰："然则听我去睡。明晨五六句钟适吾起时也。"某君曰："子自卧，吾自为文。"余乃和衣而睡。明晨余更至一友人家，友人顾问余曰："子冬衣犹未剪裁，何日返西湖去？"余曰："未定。"友人出百金纸币相赠曰："子取用之。"余接金即至英界购一表，计七十圆。意离沪时以此表还赠其公子上学之用，亦达其情。余购表后，又购吕宋烟二十圆之谱，即返向日寄寓友人之处。翌日接庄湜笺，约余速往。余既至，庄湜即牵余至卧室，细语余曰："吾婶明日往接莲佩来此同住，吾今殊难为计。最好君亦暂寓舍间，共语晨夕。若吾一人独居，彼必时来缠扰。彼日吾冷然对之，彼怅惘而归，吾知彼必有微言陈于吾婶也。"余曰："尊婶尚有何语？"庄湜曰："此消息得之侍婢，非吾婶见告者。"余曰："余一周之内，须同四川友人重赴西湖，愧未能如子意也。"庄湜曰："使君住此一周亦佳，不然者吾唯有逃之一法。"余即曰："子逃向何处？"庄湜曰："吾已审思，如事迫者，吾唯有约灵芳同往苏州，或长江一带商埠。"余曰："灵芳知子意否？"庄湜曰："病院一别，未尝再见，故未告之。"余曰："善！余来陪子住细细商量可也。子若贸然他遁，此下下策，余不为子取也。"余是日即与庄湜同居。其叔婶遇余一切殷渥，余甚感之。明日莲佩亦迁来南苑，所携行李甚简单，似不久住也者。余见庄湜与莲佩每相晤面，亦不作他语，但莞尔示敬而已。有时见莲佩伫立厅前，庄湜则避面而去。莲佩故心知之而无如何也。一日天阴，气候颇冷，余同庄湜闲谈书斋中。忽见侍婢捧百叶水晶糕进曰："此燕小姐新制，嘱馈公子并客。"庄湜受之。侍婢去未移时，而莲佩从容含笑入斋，问起居。庄湜此时无少惊异，亦不表殷勤之貌。但曰："多谢点心，请燕小姐坐近炉次，今日气候甚寒也。"莲佩待余两人归元座，乃敛裾坐于炉次。盖服西装也，上衣为雪白毛绒所织,披其领角,束桃红领带,状若垂巾。其短裾以墨绿色丝绒制之,着黑长袜,履十八世纪流行之舄,乃元色天鹅绒所制。尖处结桃红(Ribon),不冠,但虚鬘其发。两耳饰钻石作光,正如乌云中有金星出焉。余见庄湜危坐,不与之一言。余乃发言问曰:"燕小姐尝至欧美否?"莲佩低鬟应曰:"未也。吾意二三年后,当往欧洲一吊新战场。若美洲,吾不愿往,且无史迹可资凭睇。而其人民以Make money为要义,常曰'Two dallors is always better than one dallor',视吾国人,直如狗耳。吾又何颜往彼都哉?人谓美国物质文明,不知彼守财虏正思利用物质文明,而使平民日趋于贫。故倡人道者有言曰:'使大地空气而能买者,早为彼辈吸收尽矣。'此语一何沉痛耶!言已,出素手加煤于炉中。庄湜乘间取书自阅。莲佩加煤既已,遂辞余两人,回身敛裾而去。余语庄湜曰:"斯人恭让温良,好女子也。"庄湜愁叹不语,余乃易一新吕宋烟吸之。未及其半,庄湜忽抛书语余曰:"此人于英法文学,俱能道其精义。盖从苏格兰处士查理司习声韵之学,五年有半,非但容仪佳也,此人实为我良师。吾深恨相逢太早,至反不愿见之,嗟夫命也!"庄湜言时,含泪于眶。顷之,谓余曰:"君今同我一访灵芳可乎?其兄久无书至,吾正忧之。"余曰:"可。"遂同行。至巴子路,问其婢,始知灵芳母女往昆山已数日,乃怅怅去之。比归别业,则见莲佩迎于苑门之外,探怀出一函呈庄湜曰:"是灵芳姊手笔,告我云已至昆山,不日返也。"翌日,天气清明。饭罢,庄湜之娣,命余等同游。其别业旧有二车。此日,二车均多添一马,成双马车。是日莲佩易紫罗兰色西服。余等既出,途中行人,莫不举首惊望。以莲佩天生丽质,有以惹之也。甫至南京路,日已傍午。余等乃息于春申楼进午餐焉。当余等凭阑俯视之际,余见灵芳于马路中乘车而过,灵芳亦见余等。但庄湜与莲佩并语,未之见,余亦不以告之。餐罢,即往惠罗、汇司诸肆购物。以莲佩所用之物,俱购自西肆者。是日莲佩倍觉欣欢,乃益增其媚。庄湜即奉承婶氏慈祥颜色,亦不云不乐。余即类星轺随员,故无所增减于胸中。莲佩复自购泰西银管四枝,赠庄湜一双,赠余一双。观剧之双眼镜二,庄湜一,余一。诸事既毕,即往徐园,而徐家汇、而梁园、而崔圃。游兴既阑,庄湜请于其婶曰:"今夕不归别业可乎?"其婶曰:"不归固无不可,但旅馆太不洁净。"庄湜曰:"有西人旅舍曰圣乔治,颇有幽致。如阿婶愿之,吾今夕当请阿婶观泰西歌剧。"其婶即曰:"今夕闻歌,是大佳事,但汝须恭请燕小姐为我翻译。"庄湜曰:"善。"向晚,余等遂往博物院剧场,至则泰西,仕女云集,盖是夕所演为名剧也。莲佩一一口译之,清朗无异台中人。余实惊叹斯人灵秀所终。余等已观至两句钟之久,而莲佩犹滔滔不息。忽一乌衣子弟登台,怒视坐上人,以凄丽之音言曰:What the world calls love, I neither know nor want. I know God's love, and that is not weak and mild. That is hard even unto the terror of death; it offers caresses which leave wounds. What did God answer in the olive-grove, when the Son lay sweating in agony, and prayed and prayed:"Let this cup pass from me?" Did He take the cup of pain from His mouth? No, child; He had to drain it to the depth. 莲佩至此忽停其悬河之口。庄湜之婶问之曰:"何以不译?"再问而莲佩已呆若木鸡。余与庄湜俱知莲佩尔时深为感动,但庄湜之婶以为优人作狎辞,即亦不悦,遂命余等归于旅邸。既归,余始知是日为莲佩生日也。明日凌晨,莲佩约庄湜共余出行草地中。行久之,莲佩忽以手轻扶庄湜左臂,低首不语,似有倦态。梨窝微泛玫瑰之色。庄湜则面色转白,但仍顺步徐行。比至廊际,余上阶引彼二人至一小客室。谓庄湜曰:"晨餐尚有一句半钟。吾侪暂歇于此。子听鸟声乎,似云将卒岁也。"莲佩闻余言,引领外盼。已而语庄湜曰:"汝观郊外木叶半已零坠,飞鸟且绝迹,雪景行将陈于吾人睫畔。"且言且注视庄湜。奈庄湜一若罔闻,拈其表链,玩弄不已。余忽见有旅客手执球网,步经客室而去。余亦随之往观。已有二女一男,候此人于草地。余观彼四人击网球,技甚精妙。余返身欲呼庄湜、莲佩同观。岂料余至客室,则见庄湜犹痴坐梳花椅上,目注地毡,默不发言。莲佩则偎身于庄湜之右,披发垂于庄湜肩次。哆其唇樱,睫间颇有泪痕。双手将丝巾叠折卷之,此丝巾已为泪珠浸透。二人各知余至,莲佩心中,似谓吾今作是态者,虽上帝固应默许,吾钟吾爱,无不可示人者。而庄湜此时,心如冰雪。须知对此倾国弗动其怜爱之心者,必非无因,顾莲佩芳心不能谅之。读者或亦有以恕莲佩之处。在庄湜受如许温存腻态,中心亦何尝不碎?第每一思念上帝汝临,无二尔心之句,即亦凛然为不可侵犯之男子耳。余问庄湜曰:"尊婶睡醒乎?"庄湜微曰:"吾今往谒阿婶。"遂借端而去。莲佩即起离椅,就镜台中理其发,而后以丝巾净拭其靥。余中心甚为莲佩凄恻,此盖人生至无可如何之事也。迄余等返江湾,庄湜频频叹喟,复时时细诘侍婢。是夕余至书斋觅书,乃见庄湜,含泪对灯而坐。余即坐其身畔,正欲觅辞慰之,庄湜凄声语余曰:"灵芳之玉簪碎矣。"余不觉惊曰:"何时碎之?何人碎之?"庄湜曰:"吾俱不知。吾归时,即枕下取观始知之。"庄湜言已,呜咽不胜。适其时莲佩亦至,立庄湜之前问曰:"君何谓而哭也?或吾有所开罪于君耶?幸相告也。"百问不一答。莲佩固心知其哭也为彼,遂亦即庄湜身畔,掩面而哭。久之,侍婢扶莲佩归卧室。余见庄湜战栗不已,知其病重矣,即劝之安寝。明晨,余复看庄湜。庄湜见余,如不复识。

但注目直视,默不一言。余即时请谒其叔,语以庄湜病症颇危。而稍稍道及灵芳之事,冀有以助庄湜于毫末。其叔怒曰:"此人不听吾言,狂悖已甚!烦汝语彼,吾已碎其玉簪矣。此人年少任情,不知炫女不贞炫士不信,古有明训耶?"言已,就案草一方交余曰:"据此人病状,乃肝经受邪之证。用人参、白芍、半夏各三钱,南星、黄连各二钱,陈皮、甘草、白芥子各一钱,水煎服,两三剂则愈,烦为我照料一切。"言时浩叹不置。余接方嗒然而退,招侍婢往药局配方。侍婢低声语余曰:"燕小姐昨夜死于卧室,事甚怪,主母戒勿泄言于公子。"余即问曰:"汝亲见燕小姐死状否?"侍婢曰:"吾今早始见之,盖以小刃自断其喉部也。"余曰:"万勿告公子,汝速去取药。"及余返庄湜卧内,庄湜面发紫色,其唇已白,双目注余面不转。余问安否?累问,庄湜都如不闻。余静坐室中待侍婢归。庄湜忽而摇首叹息,一似知莲佩昨夕之事者。然余心料无人语彼,何由知之。忽侍婢归以药付余,复以一信呈庄湜。庄湜观信既已,即以授余,面色复变而为青。余侧身抚其肩,庄湜此时略下其泪,然甚稀疏。余知此乃灵芳手笔,顾今无暇阅之。更迟半句钟,侍婢将汤药而进。庄湜徐徐服之,然后静卧。余乃乘间披灵芳之信览之。信曰:"湜君足下,病院相晤之后,银河一角,咫尺天涯。每思隆情盛意,即亦点首太息而已。今者我两人情分绝矣,前日趋叩高斋,正君偕莲姑出游时也。蒙令叔出肺腑之言相劝。昔日遗簪,乃妾请于令叔碎之用践前言者也。今兹玉簪既碎,而吾初心易矣。望君勿恋恋细弱,须一意怜爱莲姑。妾此生所不与君结同心者,有如皦日。复望君顺承令叔婶之命,以享家庭团圆之乐,则薄命之人亦堪告慰。嗟乎!但愿订姻缘于再世,尽燕婉于来生。自兹诀别,夫复何言!灵芳再拜。"余观竟,一叹庄湜一生好事,已成逝水;一叹莲佩之不可复作,而灵芳此后情境,余不暇计及之矣。庄湜忽醒而吐,余重复搓其背。庄湜吐已语余曰:"灵芳绝我,我固谅之。盖深知其心也。惜吾后此无缘复见灵芳。"然而言至此,咽气不复成声。余即扶之而卧,直至晚上,都不作一言。余嘱侍婢好好看视。冀其明日神识清爽,即可仍图欢聚。余遂离其病榻,归寝室。然余是夕已震恐不堪,亦惟有静坐吸烟,联吸十余枝,始解衣而睡。出新表视之,不觉一点半钟。余甫合眼,忽闻有人启余寝室之门。望之,则见侍婢持烛仓皇带泪而启余曰:"公子气断矣。"余急起趋至其室,案庄湜之体,冷如冰霜。少间,其叔婶俱至。其叔舍太息之外无他言,惟其婶垂泪颤声抚庄湜曰:"汝真不解事,累我至此田地。"言已复哭。天明余亟雇车驰至红桥某当铺,出新表典押,意此表今不送人亦无不可。余既典得四十金,即出。乃遇一女子,其面右腮有红痣如瓜子大,猛忆此女乃灵芳之婢。遂问之曰:"灵姑安否?"女含泪不答。余知不佳,时女引余至当铺屋角语余曰:"姑娘前夕已自缢恫哉,今家中无钱部署丧事,故主母命我来此耳。"余闻此语,伤心之处,不啻庄湜亲闻之也。迟三日为庄湜出葬之日。来相送者,则其远亲一人,同学一人,都不知庄湜以何因缘而殒其天年也。既安葬于众妙山庄,余出厚资给守山者,令其时购鲜花,种于坟前,盖不忍使庄湜复见残英。今兹庄湜、灵芳、莲佩之情缘既了,彼三人者,或一日有相见之期,然而难也。

(完)

后　序

余恒觉人间世,凡一事发生,无论善恶,必有其发生之理由。

况为数见不鲜之事,其理由必更充足。无论善恶,均不当谓其不应该发生也。食色,性也。况夫终身配偶,笃爱之情耶?人类未出黑暗野蛮时代,个人意志之自由,迫压于社会恶习者又何仅此?而此则其最痛切者。古今中外之说部,多为此而说也。前者吾友曼殊,造《绛纱记》,秋桐造《双枰记》,都是说明此义,余皆叙之。今曼殊造《碎簪记》,复命余叙,余复作如是观。不审吾友笑余穿凿,有失作者之意否邪?

一九一六年十一月二十二日,独秀叙。

(第二卷第四号,一九一六年十二月一日)

狂人日记

鲁　迅

某君昆仲,今隐其名,皆余昔日在中学校时良友。分隔多年,消息渐阙。日前偶闻其一大病。适归故乡,迂道往访,则仅晤一人,言病者其弟也。劳君远道来视,然已早愈,赴某地候补矣。因大笑,出示日记二册,谓可见当日病状,不妨献诸旧友。持归阅一过知所患盖"迫害狂"之类。语颇错杂无伦次,又多荒唐之言,亦不著月日,惟墨色字体不一,知非一时所书。间亦有略具联络者,今撮录一篇,以供医家研究。记中语误,一字不易。惟人名虽皆村人,不为世间所知,无关大体,亦悉易去。至于书名,则本人愈后所题,不复改也。七年四月二日识。

一

今天晚上,很好的月光。

我不见他,已是三十多年。今天见了,精神分外爽快。才知道以前的三十多年,全是发昏,然而须十分小心。不然,那赵家的狗何以看我两眼呢?

我怕得有理。

二

今天全没月光，我知道不妙。早上小心出门，赵贵翁的眼色便怪：似乎怕我，似乎想害我。还有七八个人，交头接耳的议论我，又怕我看见。一路上的人，都是如此。其中最凶的一个人，张着嘴，对我笑了一笑。我便从头直冷到脚跟，晓得他们布置，都已妥当了。

我可不怕，仍旧走我的路。前面一伙小孩子，也在那里议论我，相色也同赵贵翁一样，脸色也都铁青。我想我同小孩子有什么仇，他也这样。忍不住大声说，"你告诉我！"他们可就跑了。

我想，我同赵贵翁有什么仇，同路上的人又有什么仇，只有廿年以前，把古久先生的陈年流水簿子，踹了一脚，古久先生很不高兴。赵贵翁虽然不认识他，一定也听到风声，代抱不平，约定路上的人，同我作冤对。但是小孩子呢？那时候，他们还没有出世，何以今天也睁着怪眼睛，似乎怕我，似乎想害我。这真教我怕，教我纳罕而且伤心。

我明白了。这是他们娘老子教的！

三

晚上总是睡不着。凡事须得研究，才会明白。

他们——也有给知县打枷过的，也有给绅士掌过嘴的，也有衙役占了他妻子的，也有老子娘被债主逼死的，他们那时候的脸色，全没有昨天这么怕，也没这么凶。

最奇怪的是昨天街上的那个女人,打他儿子,嘴里说道,"老子呀!我要咬你几口才出气!"他眼睛却看看我。我出了一惊,遮掩不住,那青面獠牙的一伙人,便都哄笑起来。陈老五赶上前,硬把我拖回家中了。

拖我回家,家里的人都装作不认识我。他们的眼色,也全同别人一样。进了书房,便反扣上门,宛然是关了一只鸡鸭。这一件事越教我猜不出底细。

前几天,狼子村的佃户来告荒,对我大哥说,他们村里的一个大恶人,给大家打死了。几个人便挖出他的心肝来,用油煎炒了吃,可以壮壮胆子。我插了一句嘴,佃户和大哥便都看我几眼。今天才晓得他们的眼光,全同外面的那伙人一模一样。

想起来,我从顶上直冷到脚跟。

他们会吃人,就未必不会吃我。

你看那女人"咬你几口"的话,和一伙青面獠牙人的笑,和前天佃户的话,明明是暗号。我看出他话中全是毒,笑中全是刀。他们的牙齿,全是白厉厉的排着,这就是吃人的家伙。

照我自己想,虽然不是恶人,自从踹了古家的簿子,可就难说了。他们似乎别有心思,我全猜不出。况且他们一翻脸,便说人是恶人,我还记得大哥教我做论,无论怎样好人,翻他几句,他便打上几个圈,原谅坏人几句,他便说"翻天妙手,与众不同"。我那里猜得到他们的心思,究竟怎样,况且是要吃的时候。

凡事总须研究,才会明白。古来时常吃人,我也还记得,可是不甚清楚。我翻开历史一查,这历史没有年代,歪歪斜斜的每叶上都写着"仁义道德"几个字。我横竖睡不着,仔细看了半夜,才从字缝里看出字来,满本都写着两个字是"吃人"!

书上写着这许多字,佃户说了这许多话,却还笑吟吟的睁着怪眼睛看我。

我也是人,他们想要吃我了!

四

早上,我静坐了一会。陈老五送进饭来,一碗菜,一碗蒸鱼。这鱼的眼睛,白而且硬,张着嘴,同那一伙想吃人的人一样。吃了几筷,滑溜溜的不知是鱼是人,便把它,兜肚连肠的吐出。

我说,"老五,对大哥说,我闷得荒。想到园里走走。"老五不答应,走了。停一会,可就来开了门。

我也不动,研究他们如何摆布我,知道他们一定不肯放松。果然!我大哥引了一个老头子,慢慢走来。他满眼凶光,怕我看出,只是低头向着地,从眼镜横边暗暗看我。大哥说,"今天你仿佛很好。"我说"是的"。大哥说,"今天请何先生来,给你诊一诊。"我说"可以!"其实我岂不知道这老头子是刽子手扮的!无非借了看脉这名目揣一揣肥瘠。因这功劳,也分一片肉吃。我也不怕,虽然不吃人,胆子却比他们还壮。伸出两个拳头,看他如何下手。老头子坐着,闭了眼睛,摸了好一会,呆了好一会,便张开他鬼眼睛说,"不要乱想,静静的养几天,就好了。"

不要乱想,静静地养!养肥了,他们是自然可以多吃。我有什么好处,怎么会"好了"?他们这群人,又想吃人,又是鬼鬼祟祟,想法子遮掩,不敢直捷下手,真要令我笑死,我忍不住,便放声大笑起来,十分快活。自己晓得这笑声里面,有的是义勇和正气。老头子和大哥,都失了色,被我这勇气正气镇压住了。

但是我有勇气，他们便越想吃我，沾光一点这勇气。老头子跨出门，走不多远，便低声对大哥说道，"赶紧吃罢！"大哥点点头。原来也有你！这一件大发见，虽似意外，也在意中，合伙吃我的人。便是我的哥哥！

　　吃人的是我哥哥！

　　我是吃人的人的兄弟！

　　我自己被人吃了，可仍然是吃人的人的兄弟！

五

　　这几天是退一步想：假使那老头子不是刽子手扮的，真是医生，也仍然是吃人的人。他们的祖师李时珍做的"本草什么"上，明明写着人肉可以煎吃，他还能说自己不吃人么？

　　至于我家大哥，也毫不冤枉他。他对我讲书的时候，亲口说过可以易子而食。又一回偶然议论起一个不好的人，他便说不但该杀，还当食肉寝皮。我那时年纪还小，心跳了好半天。前天狼子村佃户来说吃心肝的事，他也毫不奇怪，不住的点头。可见心思是同从前一样狠。既然可以易子而食，便什么都易得什么人都吃得。我从前单听得讲道理，也胡涂过去。现在晓得他讲道理的时候，不但唇边还抹着人油，而且心里满装着吃人的意思。

六

　　黑漆漆的，不知是日是夜。赵家的狗又叫起来了。

　　狮子似的凶心，兔子的怯弱，狐狸的狡猾……

七

　　我晓得他们的方法，直接杀了，是不肯的，而且也不敢，怕有祸祟。所以他们大家连络，布满了罗网，逼我自戕。试看前几天街上男女的样子，和这几天我大哥的作为，便足可悟出八九分了。最好是解下腰带，挂在梁上，自己紧紧勒死。他们没有杀人的罪名，又偿了心愿，自然都欢天喜地的发出一种呜呜咽咽的笑声。否则惊吓忧愁死了，虽则略瘦，也还可以首肯几下。

　　他们是只会吃死肉的！——什么上说，有一种东西叫"海乙那"的，眼光和样子都很难看。时常吃死肉，连极大的骨头，都细细嚼烂，咽下肚子去，想起来也教人害怕。"海乙那"是狼的亲眷，狼是狗的本家。前天赵家的狗，看我几眼，可见他也同谋，早已接洽。老头子眼看着地，岂能瞒得过我。

　　最可怜的是我的大哥。他也是人，何以毫不害怕，而且合伙吃我呢？还是历来惯了，不以为非呢？是丧了良心，明知故犯呢？

　　我诅咒吃人的人，先从他起头，要劝转吃人的人，也先从他下手。

八

　　其实这种道理，到了现在，他们也该早已懂得……

　　忽然来了一个人，年纪不过二十左右，相貌是不很看得清楚，满面笑容，对了我点头。他的笑也不像真笑。我便问他，"吃人的事，对么？"他仍然笑着说，"不是荒年，怎么会吃人。"我立刻就晓得,他也是一伙,喜欢吃人的,便自勇气百倍,偏要问他。

"对么?"

"这等事问他甚么。你真会……说笑话。……今天天气很好。"

天气是好。月色也很亮了。可是我要问你,"对么?"

他不以为然了。含含胡胡的答道,"不……"

"不对?他们可以竟吃!"

"没有的事……"

"没有的事?狼子村现吃。还有书上都写着,通红斩新!"

他便变了脸,铁一般青。睁着眼说,"有许有的,这是从来如此……"

"从来如此便对么?"

"我不同你讲这些道理。总之你不该说,你说便是你错!"

我直跳起来,张开眼,这人便不见了。上身出了一大片汗。他的年纪,比我大哥小得远,居然也是一伙。这一定是他娘老子先教的。还怕已经教给他儿子了。所以连小孩子,也都恶狠狠的看我。

九

自己想吃人,又怕被别人吃了,都用着疑心极深的眼光,面面相觑。

去了这心思,放心做事走路吃饭睡觉,何等舒服。这只是一条门槛,一个关头。他们可是父子兄弟夫妇朋友师生仇敌和各不相识的人,都结成一伙,互相劝勉,互相牵制,死也不肯跨这一步。

十

　　大清早,去寻我大哥。他立在堂门外看天,我便走到他背后,拦住门,格外沉静,格外和气的对他说,"大哥,我有话告诉你。"
　　"你说就是,"他赶紧回过脸来,点点头。
　　"我只有几句话,可是说不出来。大哥,大约当初野蛮的人,都吃过一点人。后来因为心思不同,有的不吃人了,一味要好,便变了人,变了真的人。有的却还吃,——也同虫子一样,有的变了鱼鸟猴子,一直变到人。有的不要好,至今还是虫子。这吃人的人比不吃人的人,何等惭愧。怕比虫子的惭愧猴子,还差得很远很远。
　　易牙蒸了他儿子,给桀纣吃,还是一直从前的事。谁晓得从盘古开辟天地以后,一直吃到易牙的儿子。从易牙的儿子,一直吃到徐锡林。从徐锡林,又一直吃到狼子村捉住的人。去年城里杀了犯人,还有一个生痨病的人,用馒头蘸着血舐。
　　他们要吃我,你一个人,原也无法可想,然而又何必入伙;吃人的人,什么事做不出。他们会吃我,也会吃你,一伙里面也会自吃。但只要转一步,只要立刻改了,也就人人太平。虽然从来如此,我们今天也可以格外要好,说是不能! 大哥,我相信你能说,前天佃户要减租,你说过不能。"
　　当初,他还只是冷笑,随后眼光便凶狠起来,一到说破他们的隐情,那就满脸都变成青色了。大门外立着一伙人,赵贵翁和他的狗,也在里面,都探头探脑地挨进来。有的是看不出面貌,似乎用布蒙着。有的是仍旧青面獠牙,抿着嘴笑。我认识他们是一伙,都是吃人的人。可也晓得他心思很不一样,一种是以为从来如此,应该吃的。一种是知道不该吃,可是仍然要吃,又怕别人说破他,所以听了我的话,越发气愤不过,可是抿着嘴冷笑。

这时候,大哥也忽然显出凶相,高声喝道,

"都出去!疯子有什么好看!"

这时候,我又懂得一件他们的巧妙了。他们岂但不肯改,而且早已布置,预备下一个疯子名目罩上我。将来吃了,不但太平无事,怕还会有人见情。佃户说的大家吃了一个恶人,正是这个方法。这是他们的老谱!

陈老五也气愤愤的直走进来。如何按得住我的口,我偏要对这伙人说,

"你们可以改了,从真心改起!要晓得将来容不得吃人的人,活在世上。

你们要不改,自己也会吃尽。即使生得多,也会给真的人除灭了,同猎人打完狼子一样!——同虫子一样!"

那一伙人,都被陈老五赶走了。大哥也不知那里去了。陈老五劝我回屋子里去。屋里面全是黑沉沉的。横梁和椽子都在头上发抖,抖了一会,便大起来,堆在我身上。

万分沉重,动弹不得。它的意思是要我死。我晓得它的沉重是假的,便挣扎出来,出了一身汗。可是偏要说,

"你们立刻改了,从真心改起!要晓得将来容不得吃人的人!……"

十一

太阳也不出,门也不开,日日是两顿饭。

我捏起筷子,便想起我大哥。晓得妹子死掉的缘故,也全在他。那时我妹子才五岁,可爱可怜的样子,还在眼前。母亲哭个不住,他却劝母亲不要哭。大约因为自己吃了,哭起来不免有点过意不去。如果还能过意不去……

　　妹子是被大哥吃了,母亲知道没有,我可不得而知。

　　母亲想也知道。不过哭的时候,却并没说明,大约也以为应当的了。记得我四五岁时,坐在堂前乘凉,大哥说爷娘生病,做儿子的须割下一片肉来,煮熟了请他吃,才算好人。母亲也没说不行。一片吃得,整个的自然也吃得。但是那天的哭法,现在想起来,实在还教人伤心,这真是奇极的事!

十二

　　不能想了。

　　四千年来时时吃人的地方,今天才明白,我也在其中混了多年。大哥正管着家务,妹子恰恰死了,他未必不和在饭菜里,暗暗给我们吃。

　　我未必无意之中,不吃了我妹子的几片肉,现在也轮到我自己……

　　有了四千年吃人履历的我,当初虽然不知道,现在明白,难见真的人!

十三

　　没有吃过人的孩子,或者还有?

救救孩子……

(第四卷第五号,一九一八年五月十五日)

孔乙己

鲁　迅

　　鲁镇的酒店的格局,是和别处不同的:都是当街一个曲尺形的大柜台,柜里面预备着热水,可以随时烫酒。做工的人,傍午傍晚散了工,每每花四文铜钱,买一碗酒。——这是二十多年前的事,现在每碗要涨到十文。——靠柜外站着!热热的喝了休息;倘肯多花一文,便可以买一碟盐煮笋,或茴香豆,做下酒物了。但这些顾客,多是短衣帮,大抵没有这样阔绰。只有着长衫的,才踱进店面隔壁的房子里,要酒要菜,慢慢地吃喝。

　　我从十二岁起,便在镇口的咸亨酒店里当伙计。掌柜说,样子太傻,怕侍候不了长衫主顾,就在外面做点事罢。外面的短衣主顾,虽然容易说话,但唠唠叨叨缠夹不清的,也很不少。他们往往要亲看着黄酒从坛子里舀出,看过壶子底里有水没有,又亲看将壶子放在热水里烫着,然后放心。在这严重监督之下,羼水也很为难。所以过了几天,掌柜又说我干不了这事。幸亏荐头的情面大,辞退不得,便改为专管烫酒的一种无聊职务了。

　　我从此便整天的站在柜台里,专管我的职务。虽然没有什么失职,但总觉有些单调,有些无聊。掌柜是一副凶面孔,主顾也没有好声气,教人活泼不得;只有孔乙己到店,才可以笑几声,所以至今记得。

　　孔乙己是站着喝酒而着长衫的惟一的人。他身材很高大,青白脸色,皱纹中间时常夹些伤痕,一部乱蓬蓬的花白胡子。穿的虽是长衫,可是又脏又破,似乎十多年没有补,也没有洗。他对人说话,总是满口之乎者也,教人半懂不懂的。因为他姓孔,别人便从描红纸上"上大人孔乙己"这半懂不懂的话里,替他取下一个绰号,叫作孔乙己。孔乙己一到店,所有喝酒的人,便都看着他笑。有的叫道:"孔乙己,你脸上添上新伤疤了!"他不答应,对柜里说:"烫两碗酒,要一碟茴香豆。"便排出九文钱。他们又故意地高声嚷道:"你一定又偷了人家东西了。"孔乙己睁大眼睛说:"你怎么这样凭空污人清白,……""什么清白?我前天亲眼见你偷了何家的书,吊着打。"孔乙己便涨红了脸,额上的青筋条条绽出,争辩道:"窃书不能算偷。……窃书!……读书人的事,能算偷么?"接连便是难懂的话,什么"君子固穷",什么"者乎"之类,引得众人都哄笑起来,店内外充满了快活的空气。

　　听人家背地谈论,孔乙己原来也读过书,但终于没有进学,又不会营生;于是愈过愈穷,弄到将要讨饭了。幸而写得一笔好字,便替人家抄抄书,换一碗饭吃。可惜他又有一样坏脾气,便是好喝懒做。做不到几天,便连人和书籍、纸张、笔砚一齐失踪。如是几次,叫他抄书的人,也没有了。孔乙己没有法,便免不了偶然做些偷窃的事。但他在我们店里,品行却比别人都好,就是从不拖欠;虽然间或没有现钱,暂时记在粉板上面,但不出一月,定然还清,从粉板上拭去了孔乙己的名字。

　　孔乙己喝过半碗酒,涨红的脸色,渐渐复原,旁人便又问道:"孔乙己,你当真认识字么?"孔乙己看着问他的人,显出不屑置辩的神气。他们便接着说道:"你怎的连半个秀才也捞不到呢?"孔乙己立刻显出颓唐不安模样,脸上笼上了一层灰色,嘴里说些话;这回可是全是之乎者也之类,一些不懂了。在这时候,众人也都哄笑起来,店内外充满了快活的空气。

在这些时候,我可以附和着笑,掌柜是决不责骂的。而且掌柜见了孔乙己,也每每这样问他,引人发笑。孔乙己自己知道不能和他们谈天,便只好向孩子说话。有一回对我说道:"你读过书么?"我略略点一点头。他说:"读过书,……我便考你一考。茴香豆的茴字怎么写的?"我想,讨饭一样的人也配考我么?便回过脸,不再理会。孔乙己等了许久,很恳切地说道:"不能写罢?……我教给你,记着!这些字应该记着。将来做掌柜的时候,写帐要用。"我想我和掌柜的等级还很远呢,而且我们掌柜也从不将茴香豆上帐;又好笑,又不耐烦,懒懒地答他道:"谁要你教,不是草头底下一个来回的回字么?"孔乙己显出极高兴的样子,将两个指头的长指甲敲着柜台,点头说:"对呀,对呀!……回字有四样写法,你知道么?"我愈不耐烦,努着嘴走远。孔乙己刚用指甲蘸了酒,想在柜上写字,见我毫不热心,便又叹一口气,显出极惋惜的样子。

有几回,邻舍孩子听得笑声,也赶热闹,围住了孔乙己。他便给他们茴香豆吃,一人一颗。孩子吃完豆,仍然不散,眼睛都望着碟子。孔乙己发了慌,伸开五指将碟子罩住,弯腰下去说道:"不多了,我已经不多了。"直起身又看一看豆,自己摇头说,"不多,不多!多乎哉?不多也。"于是这一群孩子,又在笑声里走散。

孔乙己是这样使人快活,可是没有他,别人也便这么过。

有一天,大约是中秋前的两三天,掌柜正在慢慢地结帐,取下粉板,忽然说:"孔乙己长久没有来了,还欠十九个钱呢?"我才也觉得他的确长久没有来了。一个喝酒的人说道:"他怎么来?……他打折了腿了。"掌柜说:"哦!""他总仍旧是偷。这一回,是自己发昏,竟偷到丁举人家里去了。他家的东西,偷得的么?""后来怎么样?""怎么样? 先写服辩,后来是打,打了大半夜,再打折了腿。""后来呢?""后来打折了腿了。""打折了怎样呢?""怎样? ……谁晓得? 许是死了。"掌柜也不再问,仍然慢慢地算他的帐。

中秋过后,秋风是一天凉比一天,看看将近初冬。我整天的靠着火,也须穿上棉袄了。一天的下半天,没有一个顾客,我正合眼坐着。忽然间听得一个声音,"烫一碗酒。"这声音虽然极低,却很耳熟。看时又全没有人。站起来向外一望,那孔乙己便在柜台下对了门槛坐着。他面孔黑而且瘦,已经不成样子;穿一件破夹袄,盘着两腿,下面垫一个蒲包,用草绳在肩上挂住;见了我,又说道:"烫一碗酒。"掌柜也伸出头去,一面说,"孔乙己么? 你还欠十九个钱呢!"孔乙己很颓唐地仰面答道,"这……下回还清罢。这一回是现钱,酒要好。"掌柜仍然同平常一样,笑着对他说,"孔乙己,你又偷了东西了!"但他这回却不十分分辩,单说了一句"不要取笑!""取笑? 要是不偷,怎么会打断腿?"孔乙己低声说道:"跌断,跌跌……"他的眼色,很像恳求掌柜,不要再提。此时已经聚集了几个人,便和掌柜都笑了。我热了酒,端出去,放在门槛上。他从破衣袋里,摸出四文大钱,放在我手里。见他满手是泥,原来他便用这手走来。不一会喝完酒,也在旁人的说笑声中,坐着用这手慢慢走去。

自此以后,又长久没有见孔乙己。到了年关,掌柜取下粉板说:"孔乙己还欠十九个钱呢!"到第二年的清明,又说:"孔乙己还欠十九个钱呢!"到端午可是没有说,再到中秋也没有见他。

我到现在终于没有见,——大约孔乙己的确死了。

附记:这一篇很拙的小说,还是去年冬天做成的。那时的意思,单在描写社会上的或一种生活,请读者看看,并没有别的深意。但用活字排印了发表,却已在这时候,——便是忽然有人用了小说盛行人身攻击的时候。大抵著者走入暗路,每每能引读者的思想跟他堕落;以为小说是一种泼秽水的器具,里面糟蹋的是谁。这实在是一件极可叹可怜的事。所以我在此声明,免得发生猜度,害了读者的人格。

一九一九年三月廿六日记

(第六卷第四号,一九一九年四月十五日)

药

鲁　迅

一

　　秋天的后半夜,月亮去了,太阳还没有出,只剩下一片乌蓝的天;除了夜游的东西,什么都睡着。华老栓忽然坐起身,擦着火柴,点上遍身油腻的灯盏,茶馆的两间屋子里,便弥满了青白的光。

　　"小栓的爹,你就去么?"是一个老女人的声音。里边的小屋子里,也发出一阵咳嗽。

　　"唔。"老栓一面听,一面应,一面扣上衣服;伸手过去说:"给我罢。"

　　华大妈在枕头底下掏了半天,掏出一包洋钱,交给老栓。老栓接了,抖抖地装入衣袋,又在外面按了两下;便点上灯笼,吹熄灯盏,走向里屋子去了。那屋子里面,正在窸窸窣窣地响,接着便是一通咳嗽。老栓候他平静过去,才低低地叫道:"小栓……你不要起来。……店么?你娘会安排的。"

　　老栓听得儿子不再说话,料他安心睡了,便出了门,走到街上。街上黑沉沉的一无所有,只有一条灰白的路,看得分明。灯光照着他的两脚,一前一后地走。有时也遇到几只狗,可是一只也没有叫。天气比屋子里冷得多了,老栓倒觉爽快;仿佛一旦变了少年,得了神通,有给人生命的本领似的,跨步格外高远。而且路也愈走愈分明,天也愈走愈亮了。

老栓正在专心走路,忽然吃了一惊,远远里看见一条丁字街,明明白白横着。便退了几步,寻到一家关着门的铺子,蹩进檐下,靠门立住了。好一会,身上觉得有些发冷。

"哼!老头子。"

"倒高兴……。"

老栓又吃一惊,睁眼看时,几个人从他面前过去了。一个还回头看他,样子不甚分明,但很像久饿的人,见了食物一般眼里闪出一种攫取的光。老栓看看灯笼,已经熄了。按一按衣袋,硬硬的还在。仰起头两面一望,只见许多古怪的人,三三两两鬼似的在那里徘徊;定睛再看,却也看不出什么别的奇怪。

没有多久,又见几个兵,在那边走动;衣服前后的一个大白圆圈,远地里也看得清楚。走过面前的,并且看出号衣上暗红色的镶边。——一阵脚步声响,一眨眼,已经拥过了一大簇人。那三三两两的人,也忽然合作一堆,潮一般向前赶;将到丁字街口,便突然立住,簇成一个半圆。

老栓也向那边看,却只见一堆人的后背;颈项都伸得很长,仿佛许多鸭,被无形的手捏住了的,向上提着。静了一会,似乎有点声音,便又动摇起来,轰的一声,都向后退;一直散到老栓立着的地方,几乎将他挤倒了。

"喂!一手交钱,一手交货!"一个浑身黑色的人,站在老栓面前,眼光正像两把刀,刺得老栓缩小了一半。那人一只大手,向他摊着；一只手却撮着一个鲜红的馒头,那红的还是一点一点的往下滴。

老栓慌忙摸出洋钱,抖抖地想交给他,却又不敢去接他的东西。那人便焦急起来,嚷道："怕什么？怎的不拿！"老栓还踌躇着；黑的人便抢过灯笼,一把扯下纸罩,裹了馒头,塞与老栓；一手抓过洋钱,捏一捏,转身去了。嘴里哼着说,"这老东西……"

"这给谁治病的呀？"老栓也似乎听得有人问他,但他并不答应；他的精神,现在只在一个包上,仿佛抱着一个十世单传的婴儿,别的事情,都已耳无闻目无见了。他现在要将这包里的新的生命,移植到他家里,收获许多幸福。太阳也出来了；在他面前,显出一条大道,直到他家中。后面也照见丁字街头破匾上"古□亭口"这四个黯淡的金字。

二

老栓走到家,店面早经收拾干净,一排一排的茶桌,滑滑的发光。但是没有客人；只有小栓坐在里排的桌前吃饭,大粒的汗,从额上滚下,夹袄也贴住了脊心,两块肩胛骨高高凸出,印成一个阳文的"八"字。老栓见这样子,不免皱一皱展开的眉心。他的女人,从灶下急急走出,睁着眼睛,嘴唇有些发抖。

"得了么？"

"得了。"

两个人一齐走进灶下,商量了一会；华大妈便出去了,不多时,拿着一片老荷叶回来,摊在桌上。老栓也打开灯笼罩,用荷叶重新包了那红的馒头。小栓也吃完饭,他的母亲慌忙说："小栓——你坐着，不要到这里来。"

一面整顿了灶火，老栓便把一个碧绿的包，一个红红白白的破灯笼，一同塞在灶里；一阵红黑的火焰过去时，店屋里散满了一种奇怪的香味。

"好香！你们吃什么点心呀？"这是驼背五少爷到了。这人每天总在茶馆里过日，来得最早，去得最迟，此时恰恰蹩到临街的壁角的桌边，便坐下问话。然而没人应他。"炒米粥么？"仍然没有人应。老栓匆匆走出，给他泡上茶。

"小栓进来罢！"华大妈叫小栓进了里面的屋子，中间放好一条凳，小栓坐了。他的母亲端过一碟乌黑的圆东西，轻轻说：

"吃下去罢，——病便好了。"

小栓撮起这黑东西，看了一会，似乎拿着自己的性命一般，心里说不出的奇怪。十分小心的拗开了，焦皮里面窜出一道白气，白气散了，是两半个白面的馒头。——不多工夫，已经全在肚里了，却全忘了什么味；面前只剩下一张空盘。他的旁边，一面立着他的父亲，一面立着他的母亲，两人的眼光，都仿佛要在他身里注进什么又要取出什么似的；便禁不住心跳起来，按着胸膛，又是一阵咳嗽。

"睡一会罢，——便好了。"

小栓依他母亲的话，咳着睡了。华大妈候他喘气平静，才轻轻地给他盖上了满幅补钉的夹被。

三

店里坐着许多人，老栓也忙了，提着大铜壶，一趟一趟地给客人冲茶;两个眼眶,都围着一圈黑线。

"老栓你有些不舒服么?——你生病〈了〉么?"一个花白胡子的人说。

"没有。"

"没有?——我想笑嘻嘻的,原也不像……"花白胡子便取消了自己的话。

"老栓只是忙。要是他的儿子……"驼背五少爷话还未完,突然闯进了一个满脸横肉的人,披一件玄色布衫,散着纽扣,用很宽的玄色腰带,胡乱捆在腰间。刚进门,便对老栓嚷道:

"吃了么?好了么?老栓,就是运气了你!你运气,要不是我信息灵……。"

老栓一手提了茶壶,一手恭恭敬敬地垂着,笑嘻嘻地听。满坐的人,也都恭恭敬敬地听。华大妈也黑着眼眶,笑嘻嘻地送茶碗、茶叶出来,加上一个橄榄,老栓便去冲了水。

"这是包好!这是与众不同的。你想,趁热地拿来,趁热吃下。"横肉的人只是嚷。

"真的呢,要没有康大叔照顾,怎么会这样……。"华大妈也很感激地谢他。

"包好,包好!这样的趁热吃下。这样的人血馒头,什么痨病都包好!"

华大妈听到"痨病"这两个字,变了一点脸色,似乎有些不悦,但又立刻堆上笑,搭讪着走开了。这康大叔却没有觉察,仍然提高了喉咙只是嚷,嚷得里面睡着的小栓也合伙咳嗽起来。

"原来你家小栓碰到了这样的好运气了,这病自然一定全好。怪不得老栓整天地笑着呢。"花白胡子一面说,一面走到康大叔面前,低声下气地问道:"康大叔——听说今天结果的一个犯人,便是夏家的孩子,那是谁的孩子?究竟是什么事?"

"谁的?不就是夏四奶奶的儿么?那个小家伙!"康大叔见众人都耸起耳朵听他,便格外高兴,横肉块块饱绽,越发大声说,"这小东西不要命,不要就是了。我可是这一回一点没有得到好处,连剥下来〈的〉衣服,都给管牢的红眼睛阿义拿去了。——第一要算我们栓叔运气;第二是夏三爷赏了二十五两雪白的银子,一个人落腰包,一文不花。"

小栓慢慢地从小屋子走出,两手按了胸口,不住地咳嗽;走到灶下,盛出一碗冷饭,泡上热水,坐下便吃。华大妈跟着他走,轻轻地问道:"小栓你好些么?——你仍旧只是肚饿……?"

"包好,包好!"康大叔瞥了小栓一眼,仍然回过脸对众人说,"夏三爷真是乖角儿,要是他不先告官,连他满门抄斩。现在怎样?银子!——这小东西也真不成东西!关在牢里,还要劝牢头造反。"

"啊呀,那还了得。"坐在后排的一个二十多岁的人,很现出气愤模样。

"你要晓得红眼睛阿义是去盘盘底细的,他却和他攀谈了。他说:'这大清的天下是我们大家的。'你想,这是人话么?红眼睛原知道他家里只有一个老娘,可是没有料到他竟会那么穷,榨不出一点油水,已经气破肚皮了。他还要老虎头上搔痒,便给他两个嘴巴!"

"义哥是一手好拳棒,这两下,一定够他受用了。"壁角的驼背忽然高兴起来。

"他这贱骨冷打不怕,还要可怜,可怜哩。"

花白胡子的人说:"打了这种东西,有什么可怜呢?"

康大叔显出看他不上的样子,冷笑着说:"你没有听清我的话;看他神气,是说阿义可怜呢!"

听着的人的眼光,忽然有些板滞;话也停顿了。小栓已经吃完饭,吃得满身流汗,头上都冒出蒸气。

"阿义可怜——疯话,简直是发了疯了。"花白胡子恍然大悟似的说。

"发了疯了。"二十多岁的人也恍然大悟地说。

店里的座客,便又现出活气,谈笑起来。小栓也趁着热闹,拼命咳嗽;康大叔走上前,拍他肩膀说:

"包好!小栓——你不要这么咳。包好!"

"疯了。"驼背五少爷点着头说。

四

西关外靠着城根的地面,本是一块官地;中间歪歪斜斜一条细路,是贪走便道的人,用鞋底造成的,但却成了自然的界限。路的左边,都埋着死刑和瘐毙的人,右边是穷人的丛冢。两面都已埋到层层叠叠,宛然富翁家里祝寿时候的馒头。

这一年的清明,分外寒冷,杨柳才吐出半粒米大的新芽。天明未久,华大妈已在右边的一座新坟前面,排出四碟菜,一碗饭,哭了一场。化过纸,呆呆地坐在地上;仿佛等候什么似的,但自己也说不出等候什么。微风起来,吹动她短发,确乎比去年白得多了。

小路上又来了一个女人,也是半白头发,褴褛的衣裙;提一个破旧的朱漆圆篮,外挂一串纸锭,三步一歇地走。忽然见华大妈坐在地上看她，便有些踌躇，惨白的脸上，现出些羞愧颜色；但终于硬着头皮，走到左边的一座坟前，放下了篮子。

那坟与小栓的坟，一字儿排着，中间只隔一条小路。华大妈看她排好四碟菜，一碗饭，立着哭了一通，化过纸锭；心里暗暗地想，"这坟里的也是儿子了。"那老女人徘徊观望了一回，忽然手脚有些发抖，跄跄踉踉退下几步，瞪着眼只是发怔。

华大妈见这样子，生怕她伤心到快要发狂了；便忍不住立起身，跨过小路，低声对她说，"你这位老奶奶不要伤心了，——我们还是回去罢。"

那人点一点头，眼睛仍然向上瞪着，也低声吃吃地说道："你看，——看这是什么呢？"

华大妈跟了她指头看去，眼光便到了前面的坟。这坟上草根还没有全合，露出一块一块的黄土，煞是难看。再往上仔细看时，却不觉也吃一惊；——分明有一圈红白的花，围着那尖圆的坟顶。

她们的眼睛都已老花多年了，但望这红白的花，还能明白看见。花也不很多，圆圆的排成一个圈，不很精神，倒也整齐。华大妈忙看他儿子和别人的坟，却只有不怕冷的几点青白小花，零星开着；便觉得心里忽然感到一种不足和空虚，不愿意根究。那老女人又走近几步，细看了一遍，自言自语地说："这没有根，不像自己开的。——这地方有谁来呢？孩子不会来玩；——亲戚本家早不来了。——这是怎么一回事呢？"她想了又想，忽又流下泪来，大声说道：——

"瑜儿，他们都冤枉了你，你还是忘不了，伤心不过，今天特意显点灵，要我知道么？"她四面一看，只见一只乌鸦，站在一株没有叶的树上，便接着说："我知道了。——瑜儿，可怜他们坑了你，他们将来总有报应,天都知道;你闭了眼睛就是了。——你如果真在这里,听到我的话,——便教这乌鸦飞上你的坟顶,给我看罢。"

微风早经息了,枯草支支直立有如铜丝。一丝发抖的声音,在空气中愈颤愈细,细到没有,周围便都是死一般静。两人站在枯草丛里,仰面看那乌鸦;那乌鸦也在笔直的树枝间,缩着头,铁铸一般站着。

许多工夫过了,上坟的人渐渐增多,几个老的小的,在土坟间出没。

华大妈不知怎的,似乎卸下了一挑重担,便想到要走;一面劝着说:"我们还是回去罢。"

那老女人叹一口气,无精打采地收起饭菜;又迟疑了一刻,终于慢慢地走了。嘴里自言自语地说:"这是怎么一回事呢?……"

他们走不上二三十步远,忽听得背后"哑——"的一声大叫;两个人都竦然地回过头,只见那乌鸦张开两翅,一挫身,直向着远处天空,箭也似的飞去了。

(第六卷第五号,一九一九年五月)

小说

风波

鲁　迅

　　临河的土场上，太阳渐渐地收了它通黄的光线了。场边靠河的乌桕树叶，干巴巴的才喘过气来，几个花脚蚊子在下面哼着飞舞。面河的农家的烟筒里，逐渐减少了炊烟，女人孩子们都在自己门口的土场泼些水，放下小桌子和矮凳。人知道，这已经是晚饭时候了。

　　老人男人坐在矮凳上，摇着大芭蕉扇闲谈，孩子飞也似的跑，或者蹲在乌桕树下赌玩石子。女人端出乌黑的蒸干菜和松花黄的米饭，热蓬蓬冒烟。河里驶过文人的酒船，文豪见了，大发诗兴，说，"无思无虑，这真是田家乐呵！"

　　但文豪的话有些不合事实，就因为他们没有听到九斤老太的话。这时候，九斤老太正在大怒，拿破芭蕉扇敲着凳脚说：

　　"我活到七十九岁了，活够了，不愿意眼见这些败家相，——还是死的好。立刻就要吃饭了，还吃炒豆子，吃穷了一家子！"

　　伊的曾孙女儿六斤捏着一把豆，正从对面跑来，见这情形，便直奔河边，藏在乌桕树后，伸出双丫角的小头，大声说："这老不死的！"

　　九斤老太虽然高寿，耳朵却还不很聋，但也没有听到孩子的话,仍旧自己说,"这真是一代不如一代!"

这村庄的习惯有点特别,女人生下孩子,多喜欢用秤称了轻重,便用斤数当作小名。九斤老太自从庆祝了五十大寿以后,便渐渐的变了不平家,常说伊年轻的时候,天气没有现在这般热,豆子也没有现在这般硬:总之现在的时世是不对了。何况六斤比伊的曾祖,少了三斤,比伊父亲七斤,又少了一斤,这真是一条颠扑不破的实例。所以伊又用劲说,"这真是一代不如一代!"

伊的儿媳七斤嫂子正捧着饭篮走到桌边,便将饭篮在桌上一摔,愤愤地说:"你老人家又这么说了。六斤生下来的时候,不是六斤五两么?你家的秤又是私秤,加重称,十八两秤;用了准十六,我们的六斤该有七斤多哩。我想便是太公和公公,也不见得正是九斤八斤十足,用的秤也许是十四两……"

"一代不如一代!"

七斤嫂还没有答话,忽然看见七斤从小巷口转出,便移了方向,对他嚷道,"你这死尸怎么这时候才回来,死到哪里去了!不管人家等着你开饭!"

七斤虽然住在农村,却早有些飞黄腾达的意思。从他的祖父到他,三代不捏锄头柄了,他也照例的帮人撑着航船,每日一回,早晨从鲁镇进城,傍晚又回到鲁镇,因此很知道些时事:例如什么地方,雷公劈死了蜈蚣精,什么地方,闺女生了一个夜叉之类。他在村人里面,的确已经是一名出场人物了。但夏天吃饭不点灯,却还守着农家习惯,所以回家太迟,是该骂的。

七斤一手捏着象牙嘴白铜斗六尺多长的湘妃竹烟管,低着头,慢慢地走来,坐在矮凳上。六斤也趁势溜出,坐在他身边,叫他爹爹。七斤没有应。

"一代不如一代！"九斤老太说。

七斤慢慢地抬起头来，叹一口气说："皇帝坐了龙庭了。"

七斤嫂呆了一刻，忽而恍然大悟的道："这可好了，这不是又要皇恩大赦了么！"

七斤又叹一口气，说："我没有辫子。"

"皇帝要辫子么？"

"皇帝要辫子。"

"你怎么知道呢？"七斤嫂有些着急，赶忙地问。

"咸亨酒店里的人，都说要的。"

七斤嫂这时从直觉上觉得事情似乎有些不妙了，因为咸亨酒店是消息灵通的所在。伊一转眼瞥见七斤的光头，便忍不住动怒，怪他恨他怨他；忽然又绝望起来，装好一碗饭，搡在七斤的面前道："还是赶快吃你的饭罢！哭丧着脸，就会长出辫子来么？"

太阳收尽了它最末的光线了，水面暗暗地回复过凉气来，土场上一片碗筷声响，人人的脊梁上又都吐出汗粒。七斤嫂吃完三碗饭，偶然抬起头，心坎里便禁不住突突地发跳。伊透过乌桕叶，看见又矮又胖的赵七爷正从独木桥上走来，而且穿着宝蓝色竹布的长衫。

赵七爷是邻村茂源酒店的主人，又是这三十里方圆以内的唯一的出色人物兼学问家。因为有学问，所以又有些遗老的臭味。他有十多本金圣叹批评的《三国志》，时常坐着一个字一个字的读。他不但能说出五虎将姓名，甚而至于还知道黄忠表字汉升和马超表字孟起。革命以后，他便将辫子盘在顶上，像道士一般。常常叹息说，倘若赵子龙在世，天下便不会乱到这地步了。七斤嫂眼睛好,早望见今天的赵七爷已经不是道士,却变成光滑头皮,乌黑发顶;伊便知道一定是皇帝坐了龙庭,而且一定须有辫子,而且七斤一定是非常危险。因为赵七爷的这件竹布长衫,轻易是不常穿的,三年以来,只穿过两次:一次是和他呕气的麻子阿四病了的时候,一次是曾经砸烂他酒店的鲁大爷死了的时候。现在是第三次了,这一定又是于他有庆,于他的仇家有殃了。

七斤嫂记得,两年前七斤喝醉了酒,曾经骂过赵七爷是"贱胎",所以这时便立刻直觉到七斤的危险,心坎里突突地发起跳来。

赵七爷一路走来,坐着吃饭的人都站起身,拿筷子点着自己的饭碗说,"七爷,请在我们这里用饭!"七爷也一路点头,说道"请请",却一径走到七斤家的桌旁。七斤们连忙招呼,七爷也微笑着说"请请",一面细细的研究他们的饭菜。

"好香的干菜,听到了风声了么?"赵七爷站在七斤的后面七斤嫂的对面说。

"皇帝坐了龙庭了。"七斤说。

七斤嫂看着七爷的脸,竭力赔笑道,"皇帝已经坐了龙庭,几时皇恩大赦呢?"

"皇恩大赦?大赦是慢慢的总要大赦罢。"七爷说到这里,声色忽然严厉起来,"但是你家七斤的辫子呢,辫子?这倒是要紧的事。你们知道,长毛时候,留发不留头,留头不留发……"

七斤和他的女人没有读过书,不很懂得这古典的奥妙,但觉得有学问的七爷这么说,事情自然非常重大,无可挽回,便仿佛受了死刑宣告似的,耳朵里嗡的一声,再也说不出一句话。

"一代不如一代,"九斤老太正在不平,趁这机会,便对赵七爷说,"现在的长毛,只是剪人家的辫子,僧不僧,道不道的。从前的长毛,这样的么?我活到七十九岁了,活够了。从前的长毛是整匹的红缎子裹头,拖下去,拖下去,一直拖到脚跟。王爷是黄缎子,拖下去,黄缎子,红缎子,黄缎子,我活够了,七十九岁了。"

七斤嫂站起身,自言自语地说:"这怎么好呢?这样的一班老小,都靠他养活的人……"

赵七爷摇头道,"那也没法。没有辫子,该当何罪,书上都一条一条明明白白写着的。不管他家里有些什么人。"

七斤嫂听到书上写着,可真是完全绝望了,自己急得没法,更忽然又恨到七斤。伊用筷子指着他的鼻尖说,"这死尸自作自受!造反的时候,我本来说,不要撑船了,不要上城了。他偏要死进城去,滚进城去,进城便被人剪去了辫子。从前是绢光乌黑的辫子,现在弄得僧不僧道不道的。这囚徒自作自受,带累了我们又怎么说呢?这活死尸的囚徒……"

村人看见赵七爷到村,都赶紧吃完饭,聚在七斤家饭桌的周围。七斤自己知道是出场人物,被女人当大众这样辱骂,很不雅观,便只得抬起头,慢慢地说道:

"你今天说现成话,那时你……"

"你这活死尸的囚徒……"

看客中间,八一嫂是心肠最好的人,抱着伊的两周岁的遗腹子,正在七斤嫂身边看热闹,这时过意不去,连忙解劝说:"七斤嫂,算了罢。人不是神仙,谁知道未来事呢?便是七斤嫂,那时不也说,没有辫子倒也没有什么丑么?况且衙门里的大老爷也还没有告示……"

七斤嫂没有听完,两个耳朵早通红了,便将筷子转过向来,指着八一嫂的鼻子,说:"阿呀,这是什么话呵!八一嫂,我自己看来倒还是一个人,会说出这样昏诞糊涂话么？那时我是,整整哭了三天,谁都看见,连六斤这小鬼也都哭,……"六斤刚吃完一大碗饭,拿了空碗,伸手去嚷着要添。七斤嫂正没好气,便用筷子在伊的双丫角中间,直扎下去,大喝道:"谁要你来多嘴!你这偷汉的小寡妇!"

噗的一声,六斤手里的空碗落在地上了,恰巧又碰着一块砖角,立刻破成一个很大的缺口。七斤直跳起来,捡起破碗,合上了检查一回,也喝道:"入娘的!"一巴掌打倒六斤。六斤躺着哭,九斤老太拉了伊的手,连说着"一代不如一代",一同走了。

八一嫂也发怒,大声说:"七斤嫂,你恨捧打人……"

赵七爷本来是笑着旁观的,但自从八一嫂说了"衙门里的大老爷没有告示"这话以后,却有些生气了。这时他已绕出桌旁,接着说:"恨捧打人,算什么呢。大兵是就要到的。你可知道,这回保驾的是张大帅,张大帅就是燕人张翼德的后代,他一支丈八蛇矛,就有万夫不当之勇,谁能抵挡他。"他两手同时捏起空拳,仿佛握着无形的蛇矛模样,向八一嫂抢进几步道:"你能抵挡他么!"

八一嫂正气得抱着孩子发抖,忽然见赵七爷满脸油汗,瞪着眼,准对伊冲过来,便十分害怕,不敢说完话,回身走了。赵七爷也跟着走去。众人一面怪八一嫂多事,一面让开路,几个剪过辫子重新留起的便赶快躲在人丛后面,怕他看见。赵七爷也不细心察访,通过人丛,忽然转入乌桕树后,说道"你能抵挡他么!"跨上独木桥,扬长去了。

村人们呆呆站着,心里计算,都觉得自己确乎抵不住张翼德,因此也决定七斤便要没有性命。七斤既然犯了王法,想起他往常对人谈论城中的新闻的时候,就不该含着长烟管显出那般骄傲模样，所以对于七斤的犯法，也觉得有些畅快。他们也仿佛想发些议论，却又觉得没有什么议论可发。嗡嗡的一阵乱，蚊子都撞过赤膊身子，闯到乌桕树下去闹。他们也就慢慢地走散回家，关上门睡觉。七斤嫂咕哝着，也收了家伙和桌子矮凳回家，关上门睡觉了。

七斤将破碗拿回家里，坐在门槛上吸烟，但非常忧愁，忘却了吸咽，象牙嘴六尺多长湘妃竹烟管的白铜斗里的火光，渐渐发黑了。心里但觉得事情似乎十分危急，也想想些方法，想些计划，但总是非常模糊，贯穿不得："辫子呢辫子？丈八蛇矛。一代不如一代！皇帝坐龙庭。破的碗须上城才能钉好。谁能抵挡他？书上一条一条写着。入娘的！……"

第二日清晨，七斤依旧从鲁镇撑航船进城，傍晚回到鲁镇，又拿着六尺多长的湘妃竹烟管和一个饭碗回村。他在晚饭席上，对九斤老太说，这碗是在城内钉合的，因为缺口大，所以要十六个铜钉，三文一个，一总用了四十八文小钱。

九斤老太很不高兴地说："一代不如一代，我是活够了。三文钱一钉；从前的钉，这样的么？从前的钉是……我活了七十九岁了……"

此后七斤虽然是照例日日进城，但家景总有些黯淡，村人大抵回避着，不再来听他从城内得来的新闻。七斤嫂也没有好声气，还时常叫他"囚徒"。

过了十多日，七斤从城内回家，看见他的女人非常高兴，问他说："你在城里听到些什么么？"

"没有听到些什么。"

"皇帝坐了龙庭没有呢？"

"他们没有说。"

"咸亨酒店里也没有人说么?"

"也没人说。"

"我想皇帝一定是不坐龙庭了。我今天走过赵七爷的店前,看见他又坐着念书了,辫子又盘在顶上了,也有穿长衫。"

"……"

"你想,不坐龙庭罢了?"

"我想,不坐了罢。"

现在的七斤,七斤嫂和村人又都早给他相当的尊敬,相当的待遇了。到夏天,他们仍旧在自家门口的土场上吃饭,大家见了,都笑嘻嘻的招呼。九斤老太早已做过八十大寿,仍然不平而且康健。六斤的双丫角,已经变成一支大辫子了;伊虽然新近裹脚,却还能帮同七斤嫂做事,捧着十八个铜钉的饭碗,在土场上一颠一拐的往来。

(第八卷第一号,一九二〇年九月一日)

小雨点

陈衡哲

小雨点的家,在一个紫山上面的云里。有一天,他正同着他的哥哥姊姊,在屋子里游玩,忽然外面来了一阵风,把他卷屋外去了。

小雨点着了急,伸直了喉咙叫道:

"风伯伯,快点放了我呀!"

风伯,一点也不睬,只管吹着他,向地下卷去。小雨点吓得闭了眼,连气也不敢出。后来觉得风伯伯去了,他才慢慢地把眼睛睁开,四围看了一看。啊呀!他怎的会垂在一个红胸鸟的翅翻上呢?那个红胸鸟此时正扑着他的翅翻,好像要飞上天去的光景。小雨点觉着了,拍着手叫道:

"好了,好了!他就要把我带回我的家去了。"

谁知道那个红胸鸟把他的翅翻扑得太利害了,竟把小雨点掀了下来。

小雨点看见自己跌在一个草叶上面,他便爬了起来,两只手掩了眼睛,呜呜咽咽地哭起来了。他正哭着忽听见有一个声音叫着他说道:

"小雨点,小雨点,不要哭了,到我这里来罢。"小雨点依着那声音的来处看去,只见有一个泥沼在那里叫他去哩。他心里喜欢,便

从那个草叶上面,一跤滚了下来,向着那泥沼跑去。他跑到了那里,把那泥沼看了一看,不觉掀着鼻子说道:

"好龌龊呵!"

泥沼把手放在他的嘴上说道:

"听呀!"

此时小雨点忽听见有流水的声,自远渐渐的近了来。

泥沼便对小雨点说:

"这是涧水哥哥,要到河伯伯那里去,现在凑巧走过这里。我们何不也同他一路去呢?"于是小雨点跟了泥沼,去会见了涧水哥哥,一同到河伯伯那里去。

小雨点见了河伯伯,觉得自己很小,便问他道:

"河伯伯,我为什么这样小?"

河伯伯笑着答道:

"好孩子这不打紧,我小的时候,也和你一样。"

小雨点又说道:

"大河伯伯,你现在到那里去?"

泥沼和涧水哥哥也同声说道:

"不错,不错!大河伯伯,你现在到那里去?"

河伯伯道:

"我到海公公那里去,就永远住在他那里了。"

小雨点,和泥沼,和涧水哥哥,都同声说道:

"好伯伯,你能告诉我们,海公公是怎么一个样子吗?"

河伯伯道:

"海公公吗?他是再慈爱没有的了。他见了什么东西,都要请他去住在他的家里的。"

小雨点道：

"他也请像我一样的小雨点吗！"

河伯伯道：

"只要你愿意，他一定请你的。你可知道他小的时候，也是一个小雨点吗？"

他们四个一路上有谈有笑，倒也很快活。隔了两天，居然到了海公公的宫里去，只见海公公掀着雪白的胡子，笑着迎了出来。他见了小雨点，十分喜欢，问讯到好多说话。小雨点心里也觉得快活，那天竟没有想到家里。可见是到了来，又想回去了。他便拉着海公公的胡子说：

"海公公，你肯送我回家去吗？"

海公公说：

"好孩子，你若要回去，也没有什么不可以。但你须要耐心些才是。"

海公公的房子，是一个又大又深的宫。小雨点在他的底下住了两天。到了第三天，他正一人哭着，想回家去，忽听见海公公在屋面上叫着他。小雨点跟着那声音，升了上去。只见白云紫山，可不是他的家吗？他见了喜得手舞足蹈地说道：

"看呀，看呀！海公公，那不是我的家吗？"

海公公摸着他的头说道：

"好孩子，我是留不住你的了，只好让你回去罢。"

小雨点也很不忍心离开这样慈爱的海公公。不过他要回家的心太利害了，所以竟含了眼泪，辞了海公公，向着天上升去。

说也希奇，此刻小雨点止觉得他的身子，一刻大似一刻。不一会，他已升得很高。他心里喜欢，说道：

"今晚我一定可以到家的了,好不快活呵!"

到了下午,他升到了一个高山的顶上,觉得有些疲倦。他向下一看,只见有一朵小小的青莲花,睡在一堆泥土的旁边。他便对着自己说:

"我今天升得也够了,不如休息一刻再说罢。"

说了这个,他便向着那青莲花进行。忽然他的身子,又缩小起来。他着了慌,再睁眼仔细一看:啊呀!他不在那朵花瓣上,又在哪里呢?他此时不觉又哭起来了。

他正哭着,忽听见那青莲花叫着他的名字,说道:

"小雨点,不要哭了,请你快来救救我的命罢。"

小雨点听了很希奇,不由得止了哭,把那青莲花细细的看了一看。只见他干枯苍白,怪可怜的。青莲花此时又接着说道:

"我差不得要死了,请你救救我的命罢。"

小雨点听了,心里很不忍,便答道:

"极愿极愿!但是我可不知道,应该怎样的救你。"

青莲花道:

"听着呵!我因为欠了水,所以差不多要死。你若愿意救我的命,你须让我把你吸到我的血管里去。"

小雨点吓了一大跳。说道:

"啊呀!那我自己又到哪里去了呢?"

青莲花道:

"小雨点,不要害怕,你将来终究要回家去的,不过现在冒一冒险罢了。你愿意吗?"

小雨点听了,心里安了些。又把青莲花看了一看,不由得又疼又爱。他想了一想,便壮着胆说道:

"青莲花,我为了你的缘故,现在情愿冒这个险了!"

青莲花十分感激,果真的把小雨点吸到他的血管里去了。不到一会,他那干枯苍白的皮肤,忽然变了美丽丰满。他在风中颤着,四处瞧望。忽见有个小女孩儿,走过他的身旁。他便把他身上的香味,送到那女孩的鼻子里,说道:

"女孩子,看我好不美丽。为什么不把我戴在你的发上呢?"

那女孩子果真把它折了,戴在她自己的发上。

但是到了晚上,那女孩子忽然又不喜欢这个青莲花了。她便把他从发里取了下来,丢在她爹爹的园里。

青莲花知道他此次真要死了。他又想到了温柔的小雨点,心里便痛苦,不由得叫道:

"小雨点,小雨点!"

小雨点本来没有死,不过睡着罢了。此刻听了青莲花的声音,便醒了起来,说道:

"我在什么地方呀?"

青莲花答道:

"你在我的血管里。"

小雨点听到这里,才慢慢地把往事记了起来。他叹着气说道:

"青莲花,你自己又在哪里?"

青莲花便把他的经历,一一的告诉了小雨点,他又说道:

"小雨点,现在我可真的要死了。"

小雨点着了急,说道:

"青莲花,青莲花!快快地不要死,我愿意让吸我到血管里去。"

青莲花叹了一口气,说道:

"痴孩子,现在是没用的了。况且你已经在我的血管里,我又怎样能再吸你呢？但是,小雨点,你不必失望,因为我明年春间仍要复活的。你若想念我,应该重来看看我呵！再会了。"

小雨点哭道：

"青莲花,青莲花！快快不要死呀！"

但是青莲花已经听不见他了。小雨点一面哭着,一面看去,好不希奇：他哪里在什么青莲花的血管里,他不是明明在一个死池旁边的草上吗？他把死池看了一看,央着说道：

"泥沼哥哥……"

死池恶狠狠地说道：

"我不是泥沼,我是死池！"

小雨点便道：

"死池哥哥,你能把我送到海公公家里去吗？"

死池哼着鼻子,说道：

"我从来没有听见过这个地方。"

小雨点听了,知道没望了,不由得又哭了起来。他哭得好不伤心,死池听了,也有些不忍,便问道：

"你要到海公公家去做什么？"

小雨点答道：

"我要他送我回家去。"

死池皱着眉毛,想了一想,说道：

"你可知道,你不必到海公公家,也可以回家去的吗？"

小雨点听了,快活得跳了起来,说道：

"死池哥哥,你的话真吗？你肯告诉我,又怎样的回去吗？"

死池道：

"你且等着,待太阳公公来了,便知道了。"

小雨点不敢再问,只得睡在草上,静待了一夜。明朝太阳公公来了,果然把小雨点送回了家去。小雨点见了他的哥哥姊姊,自然喜欢得说不出来。他又把他在地上的经历,一一地告诉了他们。后来他还约了他们,明年春间,同到地上去看那复活的青莲花哩!

(完)

(第八卷第一号,一九二〇年九月一日)

故乡

鲁　迅

我冒了严寒,回到相隔二千余里,别了二十余年的故乡去。

时候既然是深冬。渐近故乡时,天气又阴晦了,冷风吹进船舱中,呜呜地响,从篷隙向外一望,苍黄的天底下,远近横着几个萧索的荒村,没有一些活气。我的心禁不住悲凉起来了。

阿！这不是我二十年来时时记得的故乡？

我所记得的故乡全不如此。我的故乡好得多了。但要我记起他的美丽,说出他的佳处来,却又没有影像,没有言辞了。仿佛也就如此。于是我自己解释说:故乡本也如此,——虽然没有进步,也未必有如我所感的悲凉,这只是我自己心情的改变罢了,因为我这次回乡,本没有什么好心绪。

我这次是专为了别他而来的。我们多年聚族而居的老屋,已经公同卖给别姓了,交屋的期限,只在本年,所以必须赶在正月初一以前,永别了熟识的老屋,而且远离了熟识的故乡,搬家到我在谋食的异地去。

第二日清早晨我到了我家的门口了。瓦楞上几枝枯草的断茎当风抖着,正在说明这老屋难免易主的原因。几房的本家大约已经搬走了,所以很寂静。我到了自家的房外,我的母亲早已迎着出来了,接着便飞出了八岁的侄儿宏儿。

　　我的母亲很高兴,但也藏着许多凄凉的神情,叫我坐下,歇息,喝茶,且不谈搬家的事。宏儿没有见过我,远远的对面站着只是看。

　　但我们终于谈到搬家的事。我说外间的寓所已经租定了,又买了几件家具,此外须将家里所有的木器卖去,再去增添。母亲也说好,而且行李也略已齐集,木器不便搬运的,也小半卖去了,只是收不起钱来。

　　"你休息一两天,去拜望亲戚本家一回,我们便可以走了。"母亲说。

　　"是的。"

　　"还有闰土,他每到我家来时,总问起你,很想见一回面。我已经将你到家的大约日期通知他,他也许就要来了。"

　　这时候,我的脑里忽然闪出一幅神异的图画来:深蓝的天空中挂着一轮金黄的圆月,下面是海边的沙地,都种着一望无际的碧绿的西瓜,其间有一个十一二岁的少年,项带银圈,手捏一柄钢叉,向一匹猹尽力地刺去,那猹却将身一扭,反从他的胯下逃走了。

　　这少年便是闰土。我认识他时,也不过十多岁,离现在将有三十年了;那时我的父亲还在世,家景也好,我正是一个少爷。那一年,我家是一件大祭祀的值年。这祭祀,说是三十多年才能轮到一回,所以很郑重;正月里供祖像,供品很多,祭器很讲究,拜的人也很多,祭器也很要防偷去。我家只有一个忙月(我们这里给人做工的分三种:整年给一定人家做工的叫长年;按日给人做工的叫短工;自己也种地,只在过年过节以及收租时候来给一定的人家做工的称忙月),忙不过来,他便对父亲说,可以叫他的儿子闰土来管祭器的。

我的父亲允许了；我也很高兴，因为我早听到闰土这名字，而且知道他和我仿佛年纪，闰月生的，五行缺土，所以他的父亲叫他闰土。他是能装弶捉小鸟雀的。

我于是日日盼望新年，新年到，闰土也就到了。好容易到了年末，有一日，母亲告诉我，闰土来了，我便飞跑地去看，他正在厨房里，紫色的圆脸，头戴一顶小毡帽，颈上套一个明晃晃的银项圈。这可见他的父亲十分爱他，怕他死去，所以在神佛面前许下心愿，用圈子将他套住了。他见人很怕羞，只是不怕我，没有旁人的时候，便和我说话，于是不到半日，我们便熟识了。

我们那时候不知道谈些什么，只记得闰土很高兴，说是上城之后，见了许多没有见过的东西。

第二日，我便要他捕鸟。他说：

"这不能。须大雪下了才好。我们沙地上，下了雪，我扫出一块空地来，用短棒支起一个大竹匾，撒下秕谷，看鸟雀来吃时，我远远地将缚在棒上的绳子只一拉，那鸟雀就罩在竹匾下了。什么都有：稻鸡、角鸡、鹁鸪、蓝背……"

我于是又很盼望下雪。

闰土又对我说：

"现在太冷，你夏天到我们这里来。我们日里到海边捡贝壳去，红的绿的都有，鬼见怕也有，观音手也有。晚上我和爹管西瓜去，你也去。"

"管贼么？"

"不是。走路的人口渴了摘一个瓜吃，我们这里是不算偷的。要管的是獾猪、刺猬、猹。月亮底下，你听，啦啦的响了，猹在咬瓜了。你便捏了胡叉,轻轻地走去……"

我那时并不知道这所谓猹的是怎么一件东西——便是现在也没有知道——只是无端的觉得状如小狗而很凶猛。

"他不咬人么?"

"有胡叉呢。走到了,看见猹了,你便刺。这畜生很伶俐,倒向你奔来,反从胯下窜了,他的皮毛是油一般的滑……"

我素不知道天下有这许多新鲜事:海边有如许五色的贝壳;西瓜有这样危险的经历,我先前单知道他在水果店里出卖罢了。

"我们沙地里,潮汛要来的时候,就有许多跳鱼儿只是跳,都有青蛙似的两个脚……"

阿!闰土的心里有无穷无尽的稀奇的事,都是我往常的朋友所不知道的。他们不知道一些事,闰土在海边时,他们都和我一样只看见院子里高墙上的四角的天空。

可惜正月过去了,闰土须回家里去,我急得大哭,他也躲到厨房里,哭着不肯出门,但终于被他父亲带走了。他后来还托他的父亲带给我一包贝壳和几支很好看的鸟毛,我也曾送他一两次东西,但从此没有再见面。

现在我的母亲提起了他,我这儿时的记忆,忽而全都闪电似的苏生过来,似乎看到了我的美丽的故乡了。我应声说:

"这好极!他,——怎样?……"

"他?……他景况也很不如意……"母亲说着,便向房外看,"这些人又来了。说是买木器,顺手也就随便拿走的,我得去看看。"

母亲站起身,出去了。门外有几个女人的声音。我便招宏儿走近面前,和他闲话:问他可曾写字,可愿意出门。

"我们坐火车去么?"

"我们坐火车去。"

"船呢?"

"先坐船……"

"哈!这模样了!胡子这么长了!"一种尖利的怪声突然大叫起来。

我吃了一惊,赶忙抬起头,却见一个凸颧骨,薄嘴唇,五十岁上下的女人站在我面前,两手搭在髀间,没有系裙,张着两脚,正像一个画图仪器里细脚伶仃的圆规。

我愕然了。

"不认识了么?我还抱过你咧!"

我愈加愕然了。幸而我的母亲也就进来,从旁说:

"他多年出门,统忘却了。你该记得罢,"便向着我说,"这是斜对门的杨二嫂……开豆腐店的。"

哦,我记得了。我孩子时候,在斜对门的豆腐店里确乎终日坐着一个杨二嫂,人都叫伊"豆腐西施"。但是搽着白粉,颧骨没有这么高,嘴唇也没有这么薄,而且终日坐着,我也从没有见过这圆规式的姿势。那时人说:因为伊,这豆腐店的买卖非常好。但这大约因为年龄的关系,我却并未蒙着一毫感化,所以竟完全忘却了。然而圆规很不平,显出鄙夷的神色,仿佛嗤笑法国人不知道拿破仑,美国人不知道华盛顿似的,冷笑说:

"忘了?这真是贵人眼高……"

"哪有这事……我……"我惶恐着,站起来说。

"那么,我对你说。迅哥儿,你阔了,搬动又笨重,你还要什么这些破烂木器,让我拿去罢。我们小户人家,用得着。"

"我并没有阔哩。我须卖了这些,再去……"

"啊呀呀,你放了道台了,还说不阔?你现在有三房姨太太,出门便是八抬的大轿,还说不阔?吓,什么都瞒不过我。"

我知道无话可说了,便闭了口,默默地站着。

"啊呀啊呀,真是愈有钱,便愈是一毫不肯放松,愈是一毫不肯放松,便愈有钱……"圆规一面愤愤地回转身,一面絮絮地说,慢慢向外走,顺便将我母亲的一副手套塞在裤腰里,出去了。

此后又有近处的本家和亲戚来访问我。我一面应酬,偷空便收拾些行李,这样的过了三四天。

一日是天气很冷的午后,我吃过午饭,坐着喝茶,觉得外面有人进来了,便回头去看。我看时,不由得非常出惊,慌忙站起身,迎着走去。

这来的便是闰土。虽然我一见便知道是闰土,但又不是我这记忆上的闰土了。他身材增加了一倍;先前的紫色的圆脸,已经变作灰黄,而且加上了很深的皱纹;眼睛也像他父亲一样,周围都肿得通红,这我知道,在海边种地的人,终日吹着海风,大抵都如此的。他头上是一顶破毡帽,身上只一件极薄的棉衣,浑身瑟缩着;手里提着一个纸包和一支长烟管,那手也不是我所记得的红活圆实的手,却又粗又笨而且开裂,像是松树皮了。

我这时很兴奋,但不知道怎么说才好,只是说:

"啊,闰土哥,——你来了?……"

我接着便有许多话,想要连珠一般涌出:角鸡,跳鱼儿,贝壳,猹……但又总觉得被什么挡着似的,单在脑里面回旋,吐不出口外去。

他站住了,脸上现出欢喜和凄凉的神情;动着嘴唇,却没有作

声。他的态度终于恭敬起来了,分明的叫道:

"老爷!……"

我似乎打了一个寒噤;我就知道,我们之间已经隔了一层可悲的厚障壁了。我也说不出话。

他回过头去说:"水生,给老爷磕头。"便拖出躲在背后的孩子来,这正是一个廿年前的闰土,只是黄瘦些,颈子上没有银圈罢了。"这是第五个孩子,没有见过世面,躲躲闪闪……"

母亲和宏儿下楼来了,他们大约也听到了声音。

"老太太。信是早收到了。我实在喜欢的了不得,知道老爷回来……"闰土说。

"啊,你怎的这样客气起来。你们先前不是哥弟称呼么?还是照旧:迅哥儿。"母亲高兴地说。

"啊呀,老太太真是……这成什么规矩。那时是孩子,不懂事……"闰土说着,又叫水生上来打拱,那孩子却害羞,紧紧地贴在背后。

"他就是水生?第五个?都是生人,怕生也难怪的;还是宏儿和他去走走。"母亲说。

宏儿听得这话,便来招水生,水生却松松爽爽同他一路出去了。母亲叫闰土坐,他迟疑了一回,终于就了坐,将长烟管靠在桌旁,递过纸包来,说:

"冬天没有什么东西了。这一点干青豆倒是自家晒在那里的,请老爷……"

我问问他的景况。他只是摇头。

"非常难。第六个孩子也会帮忙了,却总是吃不够……又不太平……什么地方都要钱,没有定规……收成又坏。种出东西来,挑去卖,总要捐几回,折了本;不去卖,又只能烂掉……"

他只是摇头;脸上虽然刻着许多皱纹,却全然不动,仿佛石像一般。他大约只是觉得苦,却又形容不出,沉默了片时,便拿起烟管来默默地吸烟了。

母亲问他,知道他的家里事务忙,明天便得回去;又没有吃过午饭,便叫他自己到厨下炒饭吃去。

他出去了;母亲和我都叹息他的景况:多子,饥荒,苛税,兵,匪,官,绅,都苦得他像一个木偶人了。母亲对我说,凡是不必搬走的东西,尽可以送他,可以听他自己去拣择。

下午,他拣好了几件东西:两条长桌,四个椅子,一副香炉和烛台,一杆台秤。他又要所有的草灰(我们这里煮饭是烧稻草的,那灰,可以做沙地的肥料),待我们启程的时候,他用船来载去。

夜间,我们又谈些闲天,都是无关紧要的话;第二天早晨,他就领了水生回去了。

又过了九日,是我们启程的日期。闰土早晨便到了,水生没有同来,却只带着一个五岁的女儿管船只。我们终日很忙碌,再没有谈天的工夫。来客也不少,有送行的,有拿东西的,有送行兼拿东西的。待到傍晚我们上船的时候,这老屋里的所有破旧大小粗细东西,已经一扫而空了。

我们的船向前走,两岸的青山在黄昏中,都装成了深黛颜色,连着退向船后梢去。宏儿和我靠着船窗,同看外面模糊的风景,他忽然问道:

"大伯!我们什么时候回来?"

"回来?你怎么还没有走就想回来了?"

"可是,水生约我到他家玩去咧……"他睁着大的黑眼睛,痴痴地想。

我和母亲也都有些惘然,于是又提起闰土来。母亲说,那豆腐西施的杨二嫂,自从我家收拾行李以来,本是每日必到的,前天伊在灰堆里,掏出十多个碗碟来,议论之后,便定说是闰土埋着的,他可以在运灰的时候,一齐搬回家里去;杨二嫂发现了这件事,自己很以为功,便拿了那狗气杀(这是我们这里养鸡的器具,木盘上面有着栅栏,内盛食料,鸡可以伸进颈子去啄,狗却不能,只能气死),飞也似的跑了,亏伊装着这么高的小脚,竟跑得这样快。

老屋离我愈远了;故乡的山水也都渐渐远离了我,但我却并不感到怎样的留恋。我只觉得我四面有看不见的高墙,将我隔成孤身,使我非常气闷;那西瓜地上的银项圈的小英雄的影像,我本来十分清楚,现在却忽地模糊了,又使我非常的悲哀。

母亲和宏儿都睡着了。

我躺着,听船底潺潺的水声,知道我在走我的路。我想:我竟与闰土隔绝到这地步了,但我们的后辈还是一气,宏儿不是正在想念水生么。我希望他们不再像我,又大家隔膜起来……然而我又不愿意他们因为要一气,都如我的辛苦辗转的生活,也不愿意他们都如闰土的辛苦麻木而生活,也不愿意都如别人的辛苦恣睢而生活。他们应该有新的生活,为我们所未经生活过的。

我想到希望,忽然害怕起来了。闰土要香炉和烛台的时候,我暗地里笑他,以为他总是崇拜偶像,什么时候都不忘却。现在我所谓希望,不也是我自己手制的偶像么?只是他的愿望切近,我的愿望茫远罢了。

我在蒙眬中,眼前展开一片海边碧绿的沙地来,上面深蓝的天空中挂着一轮金黄的圆月。我想:希望是本无所谓有,无所谓无的。这正如地上的路；其实地上本没有路，走的人多了，也便成了路。

(第九卷第一号，一九二一年五月一日)

话　剧

老夫妻

陈衡哲

（外面很大的雷雨，渐渐住了。有一个老太婆，在灶内烫衣服。他的丈夫，浑身淋着水，自外面走进。）

老太婆：哪，我晓得你又忘记了。

老太公：忘记了什么？

老太婆：忘记了什么？你须问你自己，我哪里知道？

老太公：哦！我记得了。你不是说那块鸡蛋糕吗？

老太婆：不是它又是什么？

老太公：你看哪！我两只手装得这样的满，哪里再能把它带回来？

老太婆：很好，晚餐的时候你可不要咕哝就是了。

（老太公走进卧房，换湿衣）

老太婆：（对着卧房高声说）你换了衣服，立刻就去把那扇门钉好吧！

老太公：（口中咕哝着向外面走去）大概我终年终日，是不应该有一刻儿休息的。

老太婆：不错不错，这句话是我常常对自己说的。我说："我自从嫁了这个亨利华伦简直可以说没有休息过一天。一家八口,烧洗缝补,哪一件不是我一人做的?"今早我的腰背……(一个隔壁的寡妇走进来向老太婆借报纸,忽见他怒容满面。)

寡　妇:华伦太太,今天又有甚事不称心了?

老太婆:(指着篮中未烫的衣服)你看!

寡　妇:但你有那么大的家庭,真是福气!多烫一件衣服,就是说你多了一个孩子。像我这样……

(老太公口中嘘着气,自外面走进,陡见了寡妇。)

老太公:陶林太太,你来得正好。今天我的妻子不知又吃了些什么不消化的东西,他正在发气哩!

寡　妇:(站了起来,且笑且叹着气)好了好了,华伦太太,我丈夫没死的时候,我也常常如此。现在我想起从前我们两口儿怄气的情形,觉得已经和在天上一样,更不要说起我们说笑快乐的情形了。

(寡妇取了报纸自去)

老太公:爱娜我们该用晚餐了!

老太婆:(放下熨斗,一面解围裙,一面说)"好好,我也饿了。"

(二人坐下吃晚餐)

老太婆:啊呀!你的鞋袜都湿了。还不快去换掉,明天又要生病了。

(老太公进内换鞋。)

　　　老太婆取了一块苹果做的点心,放在老太公的座位面前。

老太公:(自房中走出,见点心)这是哪里来的?

老太婆:这是我今天为了你做的。

老太公:爱娜,你可记得三十多年前的那一天,我到你家去看你,你把这个点心给我吃的情形吗?

老太婆:怎的不记得? 你那天差不多把碟子都吃下去呢!

老太公:(且吃点心且说)这个点心,也和那天的差不多,不过碟子是我自己的,我舍不得把他吃下去罢了。

(老太公说着,两个人忍不住,都笑起来了。)

(完)

(第五卷第四号,一九一八年十月十五日)

终身大事(游戏的喜剧)

胡 适

（序）前几天有几位美国留学的朋友来说，北京的美国大学同学会不久要开一个宴会。中国的会员想在那天晚上演一出短戏。他们限我于一天之内编成一个英文短戏，预备给他们排演。我勉强答应了，明天写成这出独折戏，交与他们。后来他们因为寻不到女角色，不能排演此戏。不料我的朋友卜思先生见了此戏，就拿去给《北京导报》主笔刁德仁先生看。刁先生一定要把这戏登出来，我只得由他。后来因为有一个女学堂要排演这戏，所以我又把它翻成中文。

这一类的戏，西文教做 Farce，译出来就是游戏的喜剧。

这是我第一次弄这一类的玩意儿，列位朋友莫要见笑。

戏中人物

　　田太太

　　田先生

　　田亚梅女士

　　算命先生(瞎子)

田宅的女仆李妈

布景

田宅的会客室。右边有门,通大门。左边有门,通饭厅。背面有一张沙发榻。两旁有两张靠椅。中央一张小圆桌子,桌上有花瓶。桌边有两张坐椅。左边靠壁有一张小写字台。

墙上挂的是中国字画,夹着两块西洋荷兰派的风景画。这种中西合璧的陈设,很可表示这家人半新半旧的风气。

开幕时,幕慢慢地上去,台下的人还可听见台上算命先生弹的弦子将完的声音,田太太坐在一张靠椅上。算命先生坐在桌边椅子上。

田太太:你说的话我不大听得懂。你看这门亲事可对得吗?

算命先生:田太太,我是据命直言的。我们算命的都是据命直言的,你知道——

田太太:据命直言是怎样呢?

算命先生:这门亲事是做不得的。要是你家这位姑娘嫁了这男人,将来一定没有好结果。

田太太:为什么呢?

算命先生:你知道,我不过是据命直言。这男命是寅年亥日生的,女命是巳年申时生的,正合着命书上说的"蛇配虎,男克女。猪配猴,不到头"。这是合婚最忌的八字。属蛇的和属虎的已是相克的了。再加上亥日申时,猪猴相克,这是两重大忌的命。这两口儿要是成了夫妇;一定不能团圆到老。仔细看起来,男命强得多,是一个夫克妻之命,应该女人早年短命。田太太我不过是据命直言,你不要见怪。

田太太:不怪,不怪。我是最喜欢人直说的。你这话一定不会错。昨天观音娘娘也是这样说。

算命先生:哦!观音菩萨也这样说吗?

田太太:是的,观音娘娘签诗上说——让我寻出来念给你听。(走到写字台边,翻开抽屉,拿出一条黄纸,念道)这是七十八签,下下。签诗说,"夫妻前生定,因缘莫强求。逆天终有祸,婚姻不到头。"

算命先生:"婚姻不到头?"这句诗和我刚才说的一个字都不错。

田太太:观音娘娘的话自然不会错的。不过这件事是我家姑娘的终身大事,我们做爷娘的总得二十四分小心地办去。所以我昨儿求了签诗,总还有点不放心。今天请你先生来看看这两个八字里可有什么合得拢的地方。

算命先生:没有。没有。

田太太:娘娘的签诗只有几句话,不容易懂得。如今你算起命来,又和签诗一样。这个自然不用再说了。(取钱付算命先生)难为你,这是你对八字的钱。

算命先生:(伸手接钱)不用得,不用得。多谢,多谢。想不到观音娘娘的签诗居然和我的话一样!(立起身来)

田太太:(喊道)李妈(李妈从左边门进来)你领他出去。(李妈领算命先生从左边门出去)

田太太:(把桌上的红纸庚帖收起,折好了,放在写字台的抽屉里。又把黄纸签诗也放进去,口里说道)可惜!可惜这两口儿竟配不成!

田亚梅女士:(从右边门进来。他是一个二十三四岁的女子,穿着出门的大衣,脸上现出有心事的神气。进门后,一面脱下大衣,一面说道)妈,你怎么又算起命来了?我在门口碰着一个算命的走出去,你忘了爸爸不准算命的进门吗?

田太太:我的孩子,就只这一次,我下次再不干了。

田女:但是你答应了爸爸以后不再算命了。

田太太:我知道,我知道,但是这一回我不能不请教算命的。我叫他来把你那陈先生的八字排排看。

田女:哦!哦!

田太太:你要知道,这是你的终身大事,我又只生了你一个女儿,我不能糊里糊涂地让你嫁一个合不来的人。

田女:谁说我们合不来?我们是多年的朋友,一定很合得来。

田太太:一定合不来。算命的说你们合不来。

田女:他懂得什么?

田太太:不单是算命的这样说,观音菩萨也是这样说。

田女:什么?你还去问过观音菩萨吗?爸爸知道了更要说话了。

田太太:我知道你爸爸一定同我反对,无论我做什么事,他总同我反对。但是你想,我们老年人怎么敢决断你们的婚姻大事。我们无论怎么小心,保不住没有错。但是菩萨总不会骗人。况且菩萨说的话,和算命的说的,竟是一样,这就更可相信了。(立起来,走到写字台边,翻开抽屉)你自己看菩萨的签诗。

田女:我不要看,我不要看!

田太太:(不得已把抽屉盖了)我的孩子,你不要这样固执。那位陈先生我是很欢喜他的,我看他是一个很可靠的人。你在东洋认得他好几年了,你说你很知道他的为人。但是你年纪还轻,又没有阅历,你的眼力也许会错的。就是我们活了五六十岁的人,也还不敢相信自己的眼力。因为我不敢相信自己,所以我去问观音菩萨又去问算命的。菩萨说对不得,算命的也说对不得,这还会错吗?算命的说,你们的八字正是命书最忌的八字,叫做什么"猪配猴,不到头",因为你是巳年申时生的,他是——

田女:你不要说了,妈,我不要听这些话。(双手遮着脸,带着哭声,)我不爱听这些话!我知道爸爸不会同你一样主意。他一定不会。

田太太:我不管他打什么主意。我的女儿嫁人,总得我肯。(走到她女儿身边,用手巾替她揩眼泪。)不要掉眼泪。我走开去,让你仔细想想。我们都是替你打算,总想你好。我去看午饭好了没有。你爸爸就要回来了。不要哭了,好孩子。(田太太从饭厅的门进去了。)

田女:(揩着眼泪,抬起头来,看见李妈从外面进来,她用手招呼她走近些,低声说)李妈,我要你帮我的忙。我妈不准我嫁陈先生——

李妈:可惜,可惜!陈先生是一个很懂礼的君子人。今儿早晨,我在路上碰着他,他还点头招呼我咧。

田女:是的,他看见你带了算命先生来家,他怕我们的事有什么变卦,所以他立刻打电话到学堂去告诉我。我回来时,他在他的汽车里远远地跟在后面。这时候恐怕他还在这条街的口子上等候我的信息。你去告诉他,说我妈不许我们结婚。但是爸爸就回来了,他自然会帮我们。你叫他把汽车动到后面街上去等我的回信。你就去罢。(李妈转身将出去)回来!(李妈回转身来)你告诉他——你叫他——你叫他不要着急!(李妈微笑出去)

田女：(走到写字台边，翻开抽屉，偷看抽屉里的东西。伸出手表看道)爸爸应该回来了，快十二点了。

(田先生约摸五十岁的样子，从外面进来。)

田女：(忙把抽屉盖了，站起来接他父亲。)爸爸，你回来了！妈说，……妈有要紧话同你商量。——有很要紧的话。

田先生：什么要紧话？你先告诉我。

田女：妈会告诉你的。(走到饭厅边，喊道)妈，妈，爸爸回来了。

田先生：不知道你们又弄什么鬼了。(坐在一张靠椅上。田太太从饭厅那边过来。)亚梅说你有要紧话——很要紧的话要同我商量。

田太太：是的，很要紧的话。(坐在左边椅子上)我说的是陈家这门亲事。

田先生：不错，我这几天心里也在盘算这件事。

田太太：很好，我们都该盘算这件事了。这是亚梅的终身大事，我一想起这事如何重大我就发愁，连饭都吃不下了，觉也睡不着了。那位陈先生我们虽然见过好几次，我心里总有点不放心。从前人家看女婿总不过偷看一面就完了。现在我们见面越多了，我们的责任更不容易担了。他家是很有钱的，但是有钱人家的子弟总是坏的多，好的少。他是一个外国留学生，但是许多留学生回来不久就把他们原配的妻子休了。

田先生：你讲了这一大篇，究竟是什么主意？

田太太：我的主意是，我们替女儿办这件大事，不能相信自己的主意。我就不敢相信我自己。所以我昨儿到观音庵去问菩萨。

田先生：什么？你不是答应我不再去烧香拜佛了吗？

田太太：我是为了女儿的事去的。

田先生：哼！哼！算了罢。你说罢。

田太太：我去庵里求了一签。签诗上说，这门亲事是做不得的。我把签诗给你看。（要去开抽屉）

田先生：呸！呸！我不要看。我不相信这些东西！你说这是女儿的终身大事，你不敢相信自己，难道那泥塑木雕的菩萨就可相信吗？

田女：（高兴起来）我说爸爸是不信这些事的。（走近他父亲身边）谢谢你。我们应该相信自己的主意，可不是吗？

田太太：不单是菩萨这样说。

田先生：哦！还有谁呢？

田太太：我求了签诗，心里还不很放心，总还有点疑惑。所以我叫人去请城里顶有名的算命先生张瞎子来排八字。

田先生：哼！哼！你又忘记你答应我的话了。

田太太：我也知道。但是我为了女儿的大事心里疑惑不定，没有主张，不得不去找他来决断决断。

田先生：谁叫你先去找菩萨惹起这点疑惑呢？你先就不该去问菩萨，——你该先来问我。

田太太：罪过，罪过，阿弥陀佛，——那算命的说话同菩萨说的一个样儿。这不是一桩奇事吗？

田先生：算了罢！算了罢！不要再胡说乱道了。你有眼睛，自己不肯用，反去请教那没有眼睛的瞎子，这不是笑话吗？

田女：爸爸，你这话一点也不错。我早就知道你是帮助我们的。

田太太：（怒向他女儿）亏你说得出，"帮助我们的"，谁是"你们"？"你们"是谁？你也不害羞！(用手巾蒙面哭了)你们一齐通同起来反对我；我女儿的终身大事,我做娘的管不得吗？

　　田先生：正因为这是女儿的终身大事,所以我们做父母的应该格外小心,格外慎重。什么泥菩萨哪,什么算命合婚哪,都是骗人的,都不可相信。亚梅你说是不是？

　　田女：正是,正是。我早知道你决不会相信这些东西。

　　田先生：现在不许再讲那些迷信的话了。泥菩萨,瞎算命,一齐丢去！我们要正正经经地讨论这件事,(对田太太)不要哭了。(对田女士)你也坐下。(田女在沙发榻上坐下)

　　田先生：亚梅,我不愿意你同那姓陈的结婚。

　　田女：(惊慌)爸爸,你是同我开玩笑,还是当真？

　　田先生：当真,这门亲事一定做不得的。我说这话,心里很难过,但是我不能不说。

　　田女：你莫非看出他有什么不好的地方？

　　田先生：没有。我很欢喜他。拣女婿拣中了他,再好也没有了,因此我心里更不好过。

　　田女：(摸不着头脑)你又不相信菩萨和算命？

　　田先生：决不,决不。

　　田太太与田女：(同时间)那么究竟为了什么呢？

　　田先生：好孩子,你出洋长久了,竟把中国的风俗规矩都全忘了。你连祖宗定下的祠规都不记得了。

　　田女：我同陈家结婚,犯了哪一条祠规？

　　田先生：我拿给你看。(站起来从饭厅进去)

　　田太太：我意想不出什么。阿弥陀佛,这样也好,只要他不肯许就是了。

田女：(低头细想，忽然抬头显出决心的神气)我知道怎么办了。

田先生：(捧着一大部族谱进来)你瞧，这是我们的族谱。(翻开书页，乱堆在桌上。)你瞧，我们田家两千五百年的祖宗，可有一个姓田的和姓陈的结亲？

田女：为什么姓田的不能和姓陈的结婚呢？

田先生：因为中国的风俗不准同姓的结婚。

田女：我们并不同姓。他家姓陈我家姓田。

田先生：我们是同姓的。中国古时的人把陈字和田字读成一样的音。我们的姓有时写作田字，有时写作陈字，其实是一样的。你小时候读过《论语》吗？

田女：读过的，不大记得了。

田先生：《论语》上有个陈成子旁的书上都写作田成子便是这个道理。两千五百年前姓陈的和姓田只是一家。后来年代久了，那写作田字的便认定姓田，写作陈字的便认定姓陈，外面看起来，好像是两姓，其实是一家。所以两姓祠堂里都不准通婚。

田女：难道两千五百年前同姓的男女也不能通婚吗？

田先生：不能。

田女：爸爸，你是明白道理的人，一定不认这种没有道理的祠规。

田先生：我不认她也无用。社会承认她。那班老先生们承认她。你叫我怎么样呢？还不单是姓田的和姓陈的呢？我们衙门里有一位高先生告诉我说，他们那边姓高的祖上本是元朝末年明朝初年陈友谅的子孙，后来改姓高，他们因为六百年前姓陈所以不同姓陈的结亲；又因为二千五百年前姓陈的本又姓田，所以又不同姓田的结亲。

田女:这更没有道理了!

田先生:管它有理无理,这是祠堂里的规矩,我们犯了祠规就要革出祠堂。前几十年有一家姓田的在南边做生意,就把一个女儿嫁给姓陈的。后来那女的死了,陈家祠堂里的族长不准她进祠堂。他家花了多少钱,捐到祠堂里做罚款,还把"田"字当中那一直拉长了,上下都出了头,改成了"申"字,才许她进祠堂。

田女:那是很容易的事。我情愿把我的姓当中一直也拉长了改作"申"字。

田先生:说得好容易!你情愿,我不情愿咧!我不肯为了你的事连累我受那班老先生的笑骂。

田女:(气得哭了)但是我们并不同姓!

田先生:我们族谱上说是同姓,那班老先生们也都说是同姓。我已经问过许多老先生了,他们都是这样说,你要知道,我们做爹娘的办儿女的终身大事,虽然不该听泥菩萨瞎算命的话,但是那班老先生们的话是不能不听的。

田女:(作哀告的样子)爸爸!

田先生:你听我说完了。还有一层难处。要是你这位姓陈的朋友是没有钱的,倒也罢了,不幸他又是很有钱的人家。我要把你嫁了他,那班老先生们必定说我贪图他家有钱,所以连祖宗都不顾,就把女儿卖给他了。

田女:(绝望了)爸爸!你一生要打破迷信的风俗到底还打不破迷信的祠规!这是我做梦也想不到的!

田先生:你恼我吗?这也难怪。你心里自然总有点不快活。你这种气头上的话,我决不怪你——决不怪你。

李妈:(从左边门出来)午饭摆好了。

田先生:来,来来。我们吃了饭再谈罢。我肚里饿得很了。(先走进饭厅去)

田太太:(走近他女儿)不要哭了。你要自己明白,我们都是想你好。忍住。我们吃饭去。

田女:我不要吃饭。

田太太:不要这样固执。我先去,你定一定心就来。我们等你咧。(也进饭厅去了。李妈把门随手关上,自己站着不动。)

田女:(抬起头来,看见李妈)陈先生还在汽车里等着吗?

李妈:是的。这是他给你的信,用铅笔写的。(摸出一张纸,递与田女)

田女:(读信)"此事只关系我们两人,与别人无关,你该自己决断。"(重念末句)"你该自己决断!"是的,我该自己决断!(对李妈说)你进去告诉我爸爸和妈,叫他们先吃饭不用等我。我要停一会再吃。(李妈点头自进去。田女士站起来,穿上大衣,在写字台上匆匆写了一张字条,压在桌上花瓶底下。她回头一望,匆匆从右边门出去了。略停一会)

田太太:(戏台里的声音)亚梅你快来吃饭,菜要冰冷了,(门里出来)你哪里去了?亚梅!

田先生:(戏台里)随她罢?她生了气了,让她平平气就会好了。(门里出来)她出去了?

田太太:她穿了大衣出去了。怕是回学堂去了。

田先生:(看见花瓶底下的字条)这是什么?(取字条念道)"这是孩儿的终身大事。孩儿应该自己决断。孩儿现在坐了陈先生的汽车去了。暂时告辞了。"

(田太太听了,身子往后一仰,坐倒在靠椅上。田先生冲向右

边的门到了门边,又回头一望,眼睁睁地显出迟疑不决的神气。幕下来)

(完)

（跋）　这出戏本是因为几个女学生要排演,我才把它译成中文的。后来因为这戏里的田女士跟人跑了,这几位女学生竟没有人敢扮演田女士,况且女学堂似乎不便演这种不很道德的戏！所以这稿子又回来了。我想这一层很是我这出戏的大缺点。我们常说要提倡写实主义。如今我这出戏竟没有人敢演,可见得一定不是写实的了,这种不合写实主义的戏,本来没有什么价值,只好送给我的朋友高一涵去填《新青年》的空白罢。

（适）

(第六卷第三号,一九一九年三月十五日)

散文·诗歌

皖江见闻记

高一涵

我离了安徽差不多三年了,我记得那年到安庆的时候,正当洪宪皇帝归天之后,安徽的人,正在那里忙着恢复省议会。逃亡在外的一般"乱党",也一个个被他们欢迎回去了。这还不算,凡是在学堂毕业的,在外国留学的和亡命到外国的人,他们多恭维他,叫他"新人物"。这种"新人物"在这个时候,可就是阔得了不得了:吃饭总请他首座,打牌就替他垫钱,对他谈话,还口口声声地说我们安徽也要"维新"。我见了很欢喜,以为这是安徽人的思潮一大变迁,从此"维新"下去,这三年中一定是大有进步了。这回我到安庆见那"番菜馆"门前,是很热闹的。别的不用说,就是这"扑克"牌,每一天也能销几十打。我想形式上既"新"到这个样子,精神上一定还"新"呢!进城去想找几个朋友来问问安徽的事情,找了几天,连一个"新人物"也不见。听说那年的"新人物",又被他们赶到上海去了。我闷极无聊,跑到书铺子里边想买一本《新青年》来看看,谁知问了半天,他们连这个名字也不知道。最后找到一家书店,出来一位老先生,仿佛有点认得我,低声对我说道:"你老不要在这个地方新新新的,因为我们这个地方人最恶憎的是这一个字。还听人说:'这《新青年》是白话做的,一般人多以为民国的白话,与晋代的清谈，同为亡国之兆呢。'"我听了这话，不觉毛骨悚然，急回寓处，谁知我同住的一位朋友，已经被巡警抓去了！

那时候，因为冯玉祥在武穴安庆正在特别戒严。我问："戒严干什么？"他们说："这里差不多一年到头皆是戒严，你老正是少见多怪了！"戒严的时期，每晚九点钟就闭城门，凡是出进城的客人，所带的行李包里，皆要检查的。我想安庆既不便久居，可到别的地方去逛逛。我的行囊本不多，就是几本破书，打津浦路上走的时候，已经查了一次，箱子上还贴一个"验讫"的条子；到安庆下船时，查了一次；进城门时，又查了一次；这回出城，又查了一次。到芜湖下船，行李就搬到"查船所"，等待军警来查。同行的有位北京去的委员，他对那兵士说："我们是奉公事来的，该可以不查验？"那兵士挺着腰，大声叱道："你是公事难道我们不是公事吗？"那位委员是一个外国留学生，他很看不惯这个样子；他就气着把箱子一抛，把箱子锁抛开了，里面现出一角农商部的护照。那兵士见了护照，他的腰儿也渐渐地变了，他的声儿也渐渐地小了，还堆着脸笑道："对不起！你老人家。"轮次挨到我，那兵士抬头一看，他的腰又依旧直了，大声叫道："快把箱子打开！"又被他查了一次。可怜我几本破书，真弄成"韦编三绝"了！我旁边的人说："你先生被检查数次，失落过东西没有？"我说："没有。"他说："你还是幸事，我有一位朋友，去年年底从北京往上海去到浦口检查行李时，他装钱的皮扎子，竟'不胫而走'了。在下关住了两星期，还打信到北京望他朋友借钱，才能够到上海呢。"我想了一想，我这回真是万幸了。

在芜湖一带游览山水，足足跑了一个多月。再回到安庆，那时冯玉祥已离去武穴江西湖南的前敌上，虽然失利，但是离安庆很远，他们是很不关心的，所以社会上又现出一种"歌舞升平"的气象。安庆人的生活,是终日同那熏风巷御碑亭的姑娘,和三层楼小蓬莱的茶房,混在一块儿的。他们各机关办事人员,每日有三样功课,是必要做的:一是请酒,二是打牌,三是送客。凡有相熟的人离安庆,他们皆要到城外迎宾馆去送的。我一回也跟着多少人在那里送一位位置很高的朋友,到蚌埠去。站了半天,连那位朋友的面也未见,他已经上船走了。

在安庆又住了两星期,就从桐城的大路上回家去。走了三天,到了齐岭脚下霸王街看见许多人在那里站着,听一个人演说湖南的战时情状。我当时看见很奇怪,以为湖南的战场远得很呢,他何以知道得这样清楚?后来问了一位姓陶的医生,才知道那人是跟山东师长施从滨到江西湖南一带去打仗的,刚刚逃回来没有几天。原来施从滨就是桐城霸王街的人,前几年还在家里做挂面,因为赌钱输急了,跑到山东去当兵,后来一步一升,竟升到第十七师的师长。这位演说的人,是施从滨的"把兄弟",因为他运气不好,所以施从滨做了师长,他还在那里当兵。我就杂在人丛中,听那人演说道:"当我们奉军令开往江西的时候,多少胆小的人,就要逃跑。我是老行伍,知道中国人打仗,不过是摆架子,我们到了前敌,包管有人打电报来讲和的。谁知到了江西我那'把兄弟老施'却远远地在九江住了,发下一个命令,叫我们上前敌去。我听了气闷不过,想想我吃军粮已经二十多年了,当真还去替人家做面子,要打胜仗吗?我们弟兄们也是这样想。所以我们到了战线就在那山头上睡觉。看见南军来了,我们就把枪儿弹儿给他,他也不杀我们,还送我们一件长大褂子,叫我们逃跑。我们朝前进到没有什么危险,朝后面跑,可就费了事了。因为'老施'是晓得我们要逃回家的,他将所有的路口,早已派兵防堵了。一被他捉去,至少也责打几十军棒,还把你收在那里,他就对中央说,是收抚南边的逃兵,还要望中央要饷呢。我知道'老施'必然用这一着,所以绕道从湖南那条路跑到长沙在长沙住了几天,也会了多少当兵的熟人。长沙方面的军人,不是防南军的劳苦,到是防百姓反太劳苦了。湖南人一见口操北音的人去问路分明是朝东,他偏叫你朝西。有一回几位朋友请我到小馆子里头去吃面,吃了回来,一个个都叫着肚子痛。还有一位朋友吃面很多,竟弄成七孔流血而亡。兵士们夜里到乡下去放哨,若是落了单,就是几个小孩子,也上前揪着你,将你的枪抢去,然后送你归天去。后来张督军看见这个情状,以为湖南遍地皆是匪,他就用'以匪治匪'的法子,把山东和徐州一带的土匪,全行招来,编成几连人,将他们放到湖南乡下去。当他们初去的时候,所过的地方,真是鸡犬不留。后来这些土匪也改变宗旨,与那些老百姓要好。有一次从长沙开他们到乡里去,他们刚到城外火车站,就动起手来抢了,抢完之后,就一哄而散,与那些乡下老百姓同过生活。所以现在山东徐州的土匪,竟在湖南新辟一块'殖民地'。我那天离长沙坐了一只小火轮,刚到二更的时分,见岸上来了许多人,大叫'轮船莫走!'轮船无法,只得停了。那些岸上的人一齐上船,将口操北音的几个人扯将下去,不知后来怎样处置。听船上人说:'这些岸上的人都是老百姓呢。'我是口说南方语的人,所以才能幸免,因此就赶紧回来了。"我听见这一段话,是很奇怪的。我未到过湖南不知湖南的状况,真如这位老兵士所讲的么?然比照湖南督军师旅长等所发表的电报,什么"土匪肃清",什么"军纪严明",什么"居民安堵"的话头,相差的多了,唯有问亲眼见的人才可知道的。

我在家里过了几天,又从水道出来,雇了一只小船,在内河里走。看这内河两岸，设下多少厘金局，这还是曾国藩"抽厘助饷"的遗策。厘金局的章程：只有钱谷准许流通，以外皆要抽税的。黄豆芝麻等物，不算是谷，谷是指稻米而言。然稻米又有米厘局收税，可见除钱而外，是无物不纳税的。那厘金局的规矩，是很严的：早上八点钟才办事，下午四点钟就停止办公。我的小船到迟了五分钟，就在那里整整地等了一夜，候他看了一遍，照了船单，才敢开船。在船上远远望见一个乡下人，担着一百多个鸡蛋，正在那里赶紧走路，忽被局丁看见了，叫回来命他纳税。那乡下人腰中并无一文钱，哀告了半天。那局丁大怒，说要"办"他。乡下人听见，将要舍鸡蛋而跑，又被局丁抓住了。正争持间，忽来了一位老者，口衔着一支旱烟袋，足有五尺多长，声称与他解和。看他所提出的调和条件，就叫那乡下人拿出二十个鸡蛋，给那局丁，并不要纳税的票子，局丁看在这位老者的面上，才恕过他。那乡下人口中感谢不止，低着头，含着泪，才走了。后来听见人说，那位拿长烟袋的老者，也是厘金局的司事。

  这次出来，在安庆住了一个多月，觉得从前看不惯的事，也渐渐看得惯，再不逃去，恐怕要同化了。所以又到芜湖住了十多天，同一位朋友往采石矶一游。到了太平的时候，听见人说："不好了！太白楼要烧了！"我听见这话很是惊讶。又见一路上大碑很多。碑文是"张老大人德政碑"，我想"张老大人"是谁呢？后来问了一问，才知就是在北京复辟的那位张大帅张勋，原来他做安徽督军的时候，带许多"辫子兵"住在太平采石一带。隔日稍久，所以"张老大人"的"德政"只有那个地方人心里还记得，表面上已多看不见了。我到了采石上太白楼去看看。我往日看见《太白酒楼楹联》一书，所刊的对联共有一百多幅，这回去看，仅仅残留几幅破坏的，和那够不着的匾,还在上头。听人说:"'辫子兵'住在太白楼的时候,就把对联全摘下来,当作铺板睡觉,睡断了的,就当作柴火烧锅,所以如今仅剩了一个破楼了。"由太白楼上翠螺山山的背面有一湾平地,栽的有桃李几十株,桑树几百株。听人说:"采石镇每年出产,以丝和绸为大宗。小小的一个镇市,每年收入,约在三四万元"云云。到这镇中见有许多老婆子同小女孩子在街心里绩麻,绩成了线,就去织网。所以长江一带上自芜湖下抵镇江渔家所用的网,皆是采石镇的人制的。"辫子兵"住采石时,采石镇仅剩几个男子在家看门,妇女们皆跑到别处去了。采石镇的酒馆如翠螺春、如第一楼等,都被那"辫子兵"将本钱吃干了,都歇了业走了,如今才渐渐的回来。所以他们那里人公议要把太白楼和三公祠一齐烧了,恐怕后来又要住兵。我想了一想,这莫非就是"张老大人德政"吗?

我看过采石搭船到南京晚间打江口火车站旁经过,见车站旁边有几十个女人在那里邪眉竖眼的勾人。对面站的就是一名"维持风纪"的警察。我因向这位警察问道:"这些卖淫的岂不是有伤风化吗?"那位警察答道:"你老想是初次到南京的,原来先几年这个地方大街小巷都是他们一流人。后来我们厅里煞费苦心,才指定这一个地方,给他们做生意。要在别的地方拉人,那就有伤风化了,那就犯法了。"听他的话,才知道这火车线两旁边,是一个风化以外的所在,是一个法律所不管的所在。

我这一篇《皖江见闻记》随便写来,已有三千多字,却无一句不是悲观的话。原来社会改良进步,必先觉得对于社会的现状,有些不安,有点看不惯,才知道改良,才能有进步。若人人对于社会都是随遇而安,不觉得社会有点儿坏处,那就是这社会宣布死刑的日子了。我作《皖江见闻记》的意思,要想在日日所见的小事上着眼;

要想使人不满意于社会现状,不要为社会现状所同化;要想使人立在社会外看社会,不要钻到社会中为那社会融化了。如果人人都想与社会现状作对,那社会现状就站不住脚了。

(第五卷第四号,一九一八年十月十五日)

罗丹

张嵩年

英地一个艺术批评家克来武贝尔（Clive Bell），新近尝说："罗讷（Renoir）是生存的最伟大的画家。"这个话这样说是对的。但是若泛言近代最伟大、最受人称道、最有影响的美术家，却还不是罗讷，乃是他的老友，乃是他画过像的一个人。此人是谁？便是生于一八四〇年十一月、死于一九一七年十一月的、雕刻界里第一个模实主义者、自然主义者、第一个使雕刻自由的、世界的、革命的雕刻家奥古斯特·罗丹（Auguste Rodin）。

罗丹生是巴黎左近的一个寒家子。以母氏的刻苦，乃得进一个小学校。十四岁的时候得到巴黎一个学校学画。他的从事雕刻便在这个时际定的，纯是出于偶然。

习画三年，乃从当时有名的动物雕刻家巴锐（Barye）受雕刻术。此后他曾接连三次的请入巴黎的美术学校（Ecole des Beaux Arts），三次都被拒其入。以后他遂默默无闻的作人家的雕刻帮手，虽不从师，却加一分的努力研究。以至于三十七岁（一八七七年），始以他那个"黄铜时代的人"的全身像露头角于巴黎的美术场。

但是罗丹的事业不是从此就顺当下去，一往尽利了。他不合世俗，世俗也就不合他。他第一个打击，就是人竟说他那个像是假的,是从模子上套出来的(又于时十一年前他曾出其"破鼻之人"于巴黎展览会而被拒)。他那个像本是以全力表出优雅之美与少壮的气概,他的名字,有一时曾叫作"觉悟到自然的人"。罗丹以为如此,可以表出那眩惑、漂泊生活海中的少年的世界的美之黎明的意思。这个像实是罗丹自己觉悟到围绕着他的世界之亲切的美的一个记号。但是,当时的批评者怎能见到这种诗的意思?所以他这个像出到不律塞(比利时京城),不律塞人说他假;出在巴黎,巴黎人也说他假。虽然后来终于是非大白,疑云实已把他罩了许久。

从此以后,四十年间,罗丹的名誉诚然渐渐的满了欧洲,以至于世界。但诽谤他、讥笑他之声也同样盈人之耳,他的出品是常常被拒的。就如那样表出自然的情爱的"接吻"那个像,当芝加高展览会特请他出品时,这个像出到那里乃被关在一间私室,不准一般人观看。柏林人还懂得他,叫他作"今日之弥开安楼"(弥开安楼[Michelangelo]是文艺复兴时代的美术家,可说是罗丹以前最大的雕刻家,意大利人),伦敦人却叫他作"雕刻之左剌"(左剌[Zola],罗丹同时地的写实派的小说家、科学家)。

罗丹为什么这样子受人反抗?这实因为他先反抗人。要想特出,非反抗不可;要保持个性,非反抗不可。所以他的反抗是应该的,但别人于他只是反应。以前人总以雕刻是与建筑相连的,是应当静的。罗丹的作品却是动的、活的。他那个"浸礼者圣约翰"的像竟要走起来,怎能不骇人的眼目! 这是他第一件违反雕刻的老原理。以前人又以为雕刻总应拘束端庄一点。但是罗丹的作品乃放达不羁,焕发已极,他总要把人的天然的、自由自在的活动,尽量表出来。这是他第二件违反雕刻的老原理。罗丹美术最特异的标帜就是自然。自然便美,美在自然。但是,人类受人为的法律礼教的束缚惯了,告以自然,反以为奇怪。此也不仅美术一端。罗丹的美术又是尚真实的,这也是与虚伪的社会不相容。真实太过了,人反以为是假造。罗丹说什么东西都有美,越寻常的越美。以前人多求美于飘邈辽远之乡,他乃求美于眼前。为虚伪遮住的人自然见不到这个。因为见不到,遂竟以为丑。罗丹模实而又是最象征的天才。普遍永久,超出时间、地域、种族的象征是常向他心的。所以他的艺术是"出乎自然、入乎自然的"。他这样的艺术是狠与埃及的、古希腊的、中土的艺术相接近,狠能感觉形式之美而把他形出来的。这也是西方晚近商贩式的艺术所轻视。习故蹈常的人不要个性,有了个性,反觉累赘。但是罗丹的艺术是有个性的艺术,他能够那样子的在传袭之上超然独立,不守"规矩",学寮的艺术家又怎能不恨他?

因为这种种,他在当时受人计议、被人反对,是当然的。但是最后怎么样?自然无敌!最后总是真实的胜利。

(第七卷第二号,一九二〇年一月一日)

寄会稽山人八十四韵

谢无量

己酉岁,未尽七日自芜湖溯江还蜀。入春淹泊峡中,观物叙怀,辄露鄙音,略不诠理。奉寄会稽山人,冀资嗢噱。

故国三千里,长江日夜声。扬舲鱼服远,隐几鹖冠轻。驿路春光入,风涛夕数惊。实经巫峡险,真念圣湖清。泥渚焦公草,沧浪孺子缨。浮生仍不系,君子直无营。管席陪书幔,扬亭别酒罂。昔时同载魄,此日黯消精。温瞩延犀烬,刘招杳桂英。离群频子夏,浪迹类罗横。未就持竿去,徒为荷锸行。不堪追素孔,只是怯黔赢。阮籍曾埋照,长沮亦耦耕。东皋淹旅食,南郭竟狂酲。先世承炎帝,于今忆老彭。蜀峰元赴楚,淮岸复通荆。辟地随尸佼,乘流异别今。薄齐缠药里,费日更楸枰。窄濑迟移棹,悬崖逆挂棙。山驱千笏立,江蹙一门成。岛屿参差出,虹蜺咫尺生。屈骚心自苦,汉曲听如喤。夙饲神祠鸟,兼供禹庙牲。受符坛缥缈,刊木岁峥嵘。斑竹泉分泪,幽花冷独荣。瑶姬云不定,杜宇血犹萦。久已无丹凤,虚传画白鹦。仙桥临井路,妖气聚材枪。往往思三户,稍稍骇五丁。猿猱开辟有,斤斧鬼神并。估客皆沾笛,丛霄恍梦笙。滩留高象卧,波倒定龙擎。叹逝嗟何及,观虚道乃莹。下催桑海变,西接杞天倾。复嶂行看尽，环洲远更迎。石钱缘水叠，萝刺倚空撑。镜象明前浦，霞阴转碧泓。平川一帆影，绝壁几茅楹。饥鹊窥人诉，健鸡上屋鸣。峻畦怜菜摘，喧浪得鱼烹。细树澄潭月，香醪小驿筝。人烟通夕步，渔火驻微明。昧爽占风角，萧疏信水程。阵图荒擢柳，舟市贱柑橙。鸟道犹宾洞，鹑襟立野氓。一钱宁易死，百丈每先争。沙濯鸡金粲，盐烧碛雾平。噫嘘桡户喜，呼咤太公狞。飘泊曾无已，修晨况屡更。莫应添客思，强复记王正。爆竹殷山郭，张灯沸市伶。宫讴严汉朔，台址实巴贞。混混聊同浊，苍苍不易名。薄游从曼衍，疾首念鳏惸。鮀佞谁能学，麟伤内暗婴。北辰星隐见，黄道日光晶。多士趋朱鷩，明堂仰玉衡。盘盂宣鲁甲，誓今过商庚。海上罗时髦，云台象国桢。季心仍大侠，犀首自名卿。陈气豪湖海，邹谈必裨瀛。义皆攀尾柱，泣为下苏坑。长短经争奏，中和乐漫厅。笑工依狒狒，语好乱狌狌。锻柳甘疏放，欹冠忘裸裎。伊川飘短发，广汉逐青盲。他日瓢终弃，间行剑懒绷。纵横闻虎豹，细黜玩鼫鼪。鼎重恒虞折，邻强慎莫撄。裂眦虚见劫，高鼻动要盟。马上诗书废，人间战伐盈。黄龙知己没，鲁卫孰为兄。柱史空修礼，兰陵但议兵。问频忧国蹙，望极何衢亨。尚武兹成俗，依仁意倍诚。若为传道德，敢冀报瑶琼。岷岭惭疲役，崆峒早系萌。艺瓜秦垅晚，吹籁越溪晴。杜甫先留宅，王郎未见情。此间丰䐁酱，别味胜团羹。豆叶齐初绿，桃跗启半赪。（此间春旱桃已攀蕚）云封伯益井，苔冷季长莹。松菊应追忆，山川旧徂征。何时回紫气？重得过青城。

文学者，国民最高精神之表现也。国人此种精神委顿久矣！谢君此作，深文余味，希世之音也。子云相如而后，仅见斯篇。虽工部,亦只有此工力无此佳丽。谢君自谓天下文章尽在蜀中,非夸矣!吾国人伟大精神,犹未丧失也欤!于此征之。

记者识

(第一卷第三号,一九一五年十一月十五日)

春日寄怀马一浮

谢无量

往往叨相见,寥寥愧远寻。梦中芳草路,春色五湖阴。簇柳新牵带,游莼暗抱簪。画桡频别浦,席帽定高岑。咏浴澄沂志,随艿吐谷音。料驯元晏鹤,倚落武城禽。若木仁容静,兼山止足深。伯居长简简,朱坐但钦钦。四海干戈在,幽栖日月森。下帘疑罢卜,隐几即援琴。久羡窥颜乐,何繇息跖吟。佹诗应有作,洞历况能任。莫过玄黄野,犹荧赤黑裖。众愚贪地味,衽恶诟天心。出米方征性,重芦旧止淫。淹中惟礼乐,稷下等嚣喑。正复离群数,遥知如道骎。病余人事懒,愁畏二毛侵。列喻承怜眩,义占比断金。愿持千里意,聊为豁尘襟。

(第一卷第四号,一九一五年十二月十五日)

白话诗八首

胡 适

朋 友

（此诗天怜为韵,还单为韵,故用西诗写法,高低一格以别之。）

两个黄蝴蝶,双双飞上天。
不知为什么,一个忽飞还。
剩下那一个,孤单怪可怜。
也无心上天,天上太孤单。

赠朱经农

经农自华盛顿来访余于纽约,畅谈极欢。三日之留,忽忽遂尽。别后终日不欢,作此寄之。

六年你我不相见,见时在赫贞江边。握手一笑不须说,你我如今更少年。回头你我年老时,粉条黑板作讲师。更有暮气大可笑,喜作丧志颓唐诗。那时我更不长进,往往喝酒不顾命。有时镇日醉不醒,明朝醒来害酒病。一日大醉几乎死,醒来忽然怪自己。父母生我该有用,似此真不成事体,从此不敢大糊涂。六年海外来读书,幸能勉强不喝酒,未可全断淡巴菰。年来意气更奇横,不消使酒称狂生。头发偶有一茎白,年纪反觉十岁轻。旧事三天说不全,且喜皇帝不姓袁,更喜你我都少年。"辟克匿克"来江边(辟克匿克者,Picnic 携食物出游,即于游处食之之谓也),赫贞江水平可怜。树下石上好作筵,牛油面包颇新鲜。家乡茶叶不费钱,吃饱喝胀活神仙。唱个"蝴蝶儿上天"。

月(三首)

其一

明月照我床,卧看不肯睡。窗上青藤影,随风舞娟娟。

其二

但玩明月光,更不想什么。月可使人愁,定不能愁我。

其三

月冷寒江静,心头百念消。欲眠君照我,无梦到明朝。

他

思祖国也,民国五年九月作。

你心里爱他,莫说不爱他。
要看你爱他,且等人害他。
倘有人害他,你如何对他。
倘有人爱他,又如何待他。

江上

雨脚渡江来,
山头冲雾出。
雨过雾亦收,
江楼看落日。

孔丘

知其不可而为之,亦不知老之将至。
认得这个真孔丘,一部论语都可废。

(第二卷第六号,一九一七年二月一日)

鸽子

胡 适

云淡天高,好一片晚秋天气!
有一群鸽子,在空中游戏。
看他们,三三两两,
　　回环来往,
　　夷犹如意,——
忽地里,翻身映日,白羽衬青天,鲜明无比!

(第四卷第一号,一九一八年一月十五日)

鸽子

沈尹默

　　空中飞着一群鸽子,笼里关着一群鸽子,街上走的人,小手巾里还兜着两个鸽子。
　　飞着的是受人家的指使,带着鞘儿翁翁央央,七转八转绕空飞,人家听了欢喜。
　　关着的是替人家作生意,青青白白的毛羽,温温和和的样子,人家看了欢喜。有人出钱便买去,买去喂点黄小米。
　　只有手巾里兜着的那两个,有点难算计。不知他今日是生还是死——恐怕不到晚饭时,已在人家菜碗里。

(第四卷第一号,一九一八年一月十五日)

人力车夫

沈尹默

日光淡淡,白云悠悠,风吹薄冰,河水不流。

出门去,雇人力车。街上行人,往来很多:车马纷纷,不知干些什么?

人力车上人,个个穿棉衣,个个袖手坐,还觉风吹来,身上冷不过。

车夫单衣已破,他却汗珠儿颗颗往下堕。

(第四卷第一号,一九一八年一月十五日)

人力车夫

胡　适

"车子！车子！"
车来如飞。
客看车夫,忽然中心酸悲。
客问车夫:"你今年几岁?拉车拉了多少时?"
车夫答客:"今年十六,拉过三年车了,你老别多疑。"
客告车夫:"你年纪太小,我不坐你车。我坐你车,我心惨凄。"
车夫告客:"我半日没有生意,我又寒又饥。
　　　　　你老的好心肠,饱不了我的饿肚皮。
　　　　　我年纪小拉车,警察还不管,你老又是谁?"
客人点头上车,说:"拉到内务部西!"

(第四卷第一号,一九一八年一月十五日)

相隔一层纸

刘半农

一、屋子里拢着炉火,
老爷吩咐开窗买水果,
说"天气不冷火太热,
别任他烤坏了我。"

二、屋子外躺着一个叫花子,
咬紧了牙齿,对着北风呼"要死!"
可怜屋外与屋里,
相隔只有一层薄纸!

(第四卷第一号,一九一八年一月十五日)

月夜

沈尹默

霜风呼呼的吹着,
月光明明的照着。
我和一株顶高的树并排立着,
却没有靠着。

(第四卷第一号,一九一八年一月十五日)

老鸦

胡 适

六年十二月十一日,重读伊伯生之《国民公敌》戏本,欲作一诗题之。是夜梦中作一诗,醒时乃并其题而忘之。出门,见空中鸽子,始忆梦中诗为"咏鸦与鸽"然终不能举其词。因为补作成二章。

一

我大清早起,
站在人家屋角上哑哑的啼。
人家讨嫌我,说我不吉利。——
我不能呢呢喃喃讨人家的欢喜!

二

天寒风紧,无枝可栖,
我整日里飞去飞回,整日里挨饥。——
我不能替人家带着哨儿翁翁央央的飞,
也不能叫人家系在竹竿头,赚一撮黄小米!

(第四卷第二号,一九一八年二月十五日)

游香山纪事诗

刘半农

一

扬鞭出北门,心在香山麓。
朝阳烛马头,残露湿马足。

二

古墓傍小桥,桥上苔如洗。
牵马饮清流,人在清流底。

三

一曲横河水,风定波光静。
谁家双白鹅,荡碎垂杨影?

四

场上积新刍,屋里藏新谷。

肥牛系场头，摇尾乳新犊。
两个碧蜻蜓，飞上牛儿角。

五

网畔一渔翁，闲取黄烟吸。
此时入网鱼，是笑还是泣？

六

白云如温絮，广覆香山巅。
横亘数十里，上接苍冥天。
今年秋风厉，棉价倍往年。
愿得天上云，化作地下棉。
举世悉温饱，乐土在眼前！

七

渔舟横小塘，渔父卖鱼去。
渔妇治晨炊，轻烟入疏树。

八

公差捕老农，牵人如牵狗。
老农喘且嘘，负病不能走。

公差勃然怒,叫嚣如虎吼。

农或求稍停,挥鞭击其手。

问农犯何罪?欠租才五斗。

(第四卷第二号,一九一八年二月十五日)

新婚杂诗

胡 适

一

十三年没见面的相思,于今完结。
把一桩桩伤心旧事,从头细说。
你莫说你对不住我,
我也不说我对不住你,——
且牢牢记取这十二月三十夜的中天明月!

二

回首十四年前,
初春冷雨,
中村箫鼓,
有个人来看女婿。
匆匆别后,便轻将爱女相许。
只恨我十年作客,归来迟暮。
到如今,待双双登堂拜母,

只剩得荒草新坟,斜阳凄楚!
最伤心,不堪重听,灯前人诉阿母临终语!

三

与新妇自江村回,至杨桃岭上望江村、庙首诸村,及其此诸三。

重山叠嶂,
都似一重重奔涛东向!
山脚下几个村乡,
百年来多少兴亡,
不堪回想!
更何须回想!——
想十万万年前,这多少山头都不过是大海里一些儿微波暗浪!

四

记得那年,
你家办了嫁妆,
我家备了新房,
只不曾捉到我这个新郎!
这十年来,
换了几朝帝王,
看了多少世态炎凉!
锈了你嫁奁中的刀剪,

改了你多少嫁衣新样。——
更老了你和我人儿一双!
只有那十年陈的爆竹,越陈偏越响!
(吾自定婚仪,本不用爆竹。以其为十年前所办,故不忍弃)

五

十几年的相思,刚才完结。
没满月的夫妻,又匆匆分别。
昨夜灯前絮语,全不管天上月圆月缺。
今宵别后,便觉得这窗前明月,格外清圆,格外亲切。
你该笑我,饱尝了作客情怀,别离滋味,还逃不了这个时节!

(第四卷第四号,一九一八年四月十五日)

雪

沈尹默

丁巳腊月大雪,高低远近,一望皆白。人声不喧哗,鸟鹊绝迹。

理想中的仙境,甚么"琼楼""玉宇""水晶宫阙",怕都不如今日的京城清洁!

人人都嫌北方苦寒,雪地冰天。我今却不愿可爱的红日,照我眼前。

不愿见日,日终当出。红日出,白雪消,粉饰仙境不坚牢!可奈它何!

(第四卷第四号,一九一八年四月十五日)

学徒苦

刘半农

学徒苦！学徒进店为学行贾。主翁不授书算，但曰"孺子当习勤苦！"朝命扫地开门，暮命卧地守户。暇当执炊，兼锄园圃！主妇有儿，曰："孺子为我抱抚。"呱呱儿啼，主妇震怒。拍案顿足，辱及学徒父母！

自晨至午，东买酒浆，西买青菜豆腐，一日三餐，学徒侍食进脯。客来奉茶。主翁倦时，命开烟铺！复令前门应主顾，后门洗缶涤壶！奔走终日，不敢言苦！足底鞋穿，夜深含泪自补！主妇复惜油火，申申咒诅！

食则残羹不饱。夏则无衣，冬衣败絮！腊月主人食糕，学徒操持臼杵！夏日主人剖瓜盛凉，学徒灶下烧煮！学徒虽无过，"塌头"下如雨！

学徒病，叱曰："孺子敢贪惰？作诳语！"清清河流，鉴别发缕。学徒淘米河边，照见面色如土！

学徒自念——"生我者，亦父母！"

（"塌头"，屈食指以叩其脑也，或作"栗子"）

(第四卷第四号，一九一八年四月十五日)

梦

唐俟

很多的梦,趁黄昏起哄。
前梦才挤却大前梦时,后梦又赶走了前梦。
去的前梦黑如墨在的后梦墨一般黑。
去的在的仿佛都说,"看我真好颜色。"
颜色许好,暗里不知。
而且不知道,说话的是谁?
暗里不知,身热头痛。
你来你来!明白的梦。

(第五卷第五号,一九一八年五月十五日)

爱之神

唐　俟

一个小娃子,展开翅子在空中,
一手搭箭,一手张弓,
不知怎么一下,一箭射着前胸。
"小娃子先生,谢你胡乱栽培!
但得告诉我:我应该爱谁?"
娃子着慌摇头说,"唉!
你是还有心胸的人,竟也说这宗话。
你应该爱谁,我怎么知道。
总之我的箭是放过了!
你要是爱谁,便没命的去爱他。
你要是谁也不爱,也可以没命的去自己死掉。"

（第五卷第五号,一九一八年五月十五日）

桃花

唐俟

春雨过了,太阳又很好,随便走到园中。
桃花开在园西,李花开在园东。
我说,"好极了!桃花红,李花白。"
(没说,桃花不及李花白。)
桃花可是生了气,满面涨作"杨妃红"。
好小子!真了得!竟能气红了面孔。
我的话可并没得罪你,你怎的便涨红了面孔!
唉!花有花道理,我不懂。

(第五卷第五号,一九一八年五月十五日)

卖萝卜人

刘半农

(这是半农做"无韵诗"的初次试验)

一个卖萝卜人——很穷苦的——住在一座破庙里。
一天,这破庙要标卖了,便来了个警察,说——
"你快搬走!这地方可不是你久住的。"
"是!是!"
他口中应着,心中却想——"叫我搬到那里去!"
明天,警察又来,催他动身。
他瞪着眼看,低着头想,撒撒手,踏踏脚,却没说——"我不搬。"
警察忽然发威,将他撵出门外。
又把他的灶也捣了,一只砂锅,碎作八九片!
他的破席,破被,和萝卜担,都撒在路上。
几个红萝卜,滚在沟里,变成了黑色!
路旁的孩子们,都停了游戏奔来。
他们也瞪着眼看,低着头想,撒撒手,踏踏脚,却不做声!
警察去了,一个七岁的孩子说,

"可怕……"
一个十岁的答道,
"我们要当心,别做卖萝卜的!"
七岁的孩子不懂:
他瞪着眼看,低着头想,却没撒手,没踏脚!

(第四卷第五号,一九一八年五月十五日)

春水

俞平伯

一

五九与六九,抬头见杨柳。
风吹冰消散,河水绿如酒。
双鹅拍拍水中游,众人缓缓桥上走,
都说:"春来了,真是好气候。"

二

过桥听儿啼,牙牙复牙牙。
妇坐桥边儿在抱,向人讨钱叫"阿爷"!

三

说道:"住京西,家中有田地。
去年决了滹沱口,丈夫两男相继死。

弄得家破人又离,剩下半岁小孩儿。"

四

催车快些走,不愿再多听。
日光照河水,清且明!

(第四卷第五号,一九一八年五月十五日)

他们的花园

唐　俟

小娃子,卷螺发,
银黄面庞上还有微红,——看他意思是正要活。
走出破大门,望见邻家:
他们大花园里,有许多好花。
用尽小心机,得了一朵百合。
又白又光明,像才下的雪。
好生拿了回家,映着面庞,分外添出血色,
苍蝇绕花飞鸣,乱在一屋子里——
"偏爱这不干净花,是糊涂孩子!"
忙看百合花,却已有几点蝇矢。
看不得,舍不得。
瞪眼望天空,他更无话可说。
说不出话,想起邻家:
他们大花园里,有许多好花。

(第五卷第一号,一九一八年七月十五日)

人与时

唐　俟

一人说,将来胜过现在。
一人说,现在远不及从前。
一人说,什么?
时道,你们都侮辱我的现在。
从前好的,自己回去。
将来好的,跟我前去。
这这什么的,
我不和你说什么。

(第五卷第一号,一九一八年七月十五日)

窗纸

刘半农

天天早晨,一梦醒来,看见窗上的纸,被沙尘封着,雨水渍着,斑驳陆离,演出许多幻象:

看!这是落日余晖,映着一片平地,却没人影。

这是两个金字塔,三五株棕榈,几个骑骆驼、拿着矛子的。

不好!是满地的鲜血,是无数骷髅,是赤色的毒蛇,是金色的夜叉!

看!乱轰轰地是什么?——是拍卖场,正是万头攒动,人人想出廉价,收买他邻人的破产物!

错了!是只老虎,怒汹汹坐在树林里,想是饿了!不是!是一蓬密密的髭须,衬着个 Tolstoy 的面孔——好个慈善的面孔。

又错了。Tolstoy 已死,究竟是个老虎!

还不是的,是个美人——美极了。

看。美人为什么哭?眼泪太多了——看!——一滴!——两滴!——一斛!——两斛!——竟是波浪滔滔,化作洪水!

看!满地球是洪水,Noah 的方船也沉没了——水中还有妖怪,吞吃他尸首!

看!好光明!天边来了个明星!——唉!——是个彗星!

……

"朋友！别再看,快发疯了!"

"怎么处置他?"

"扯去旧的,换上新的。"

"换上新的,怕不久又变了旧的。"

(第五卷第一号,一九一八年七月十五日)

无聊

刘半农

阴沉沉的天气。

里面一座小院子里,杨花飞得满天,榆钱落得满地。

外面那大院子里,却开着一棚紫藤花。

花中有来来往往的蜜蜂;有飞鸣上下的小鸟;有个小铜铃,系在藤上。

春风徐徐吹来,铜铃叮叮当当,响个不止。

花要谢了,嫩紫色的花瓣,微风飘细雨似的,一阵阵落下。

(第五卷第一号,一九一八年七月十五日)

月

沈尹默

  明白干净的月光,我不曾招呼她,她却有时来照着我;我不曾拒绝她,她却慢慢地离开了我。
  我和她有什么情分?

(第五卷第一号,一九一八年七月十五日)

耕牛

沈尹默

好田地，多黏土，只是无耕牛的苦。

难道这地方的人穷，连耕牛都买不起？

听说来了许多人，都带着长刀子，把这个地方的耕牛，个个都吓死。

吓死几个畜生，算得什么事？

不过少种几亩地，少出几粒米。

好在少米的地方也少人，哪里还愁有人会饿死？

（第五卷第一号，一九一八年七月十五日）

三弦

沈尹默

　　中午时候,火一样的太阳,没法去遮拦,让它直晒着长街上。静悄悄少人行路,只有悠悠风来,吹动路旁杨树。

　　谁家破大门里,半院子绿茸茸细草,都浮着闪闪的金光。旁边有一段低低土墙,挡住了个弹三弦的人,却不能隔断那三弦鼓荡的声浪。

　　门外坐着一个穿破衣裳的老年人,双手抱着头,他不声不响。

(第五卷第二号,一九一八年八月十五日)

"人家说我发了痴"

陈衡哲

一九一八年六月的上旬,藩萨女子大学举行第五十三次的卒业礼。其时我适在病院中。有一天,正取着一张校中的半周刊,看她预告卒业的盛礼,和五十年前的老学生回来团叙的快乐新闻,忽然房门开了,走进一个七十余岁的老太婆,手舞脚蹈地向我说话。我仔细听了她一点多钟,心中十分难过。因此便把她话中的要点写了出来,作为那个半周刊的背影。

一九一八年六月中旬,衡哲

哈哈!人家说我发了痴,把我关在这里。

我五十年前,也在藩萨读书。因此特地跑来,看我小姊妹的卒业礼。

我的家在林肯,离开此地共是一千五百里。

你可曾见过痴子吗?

痴子见人便打,见物便踢。

我若是痴子,

你看呀——我便要这样地把你痛击!

我方才讲的什么?

哦！我记得了。
我不是讲到林肯吗？
我在林肯的时候，我的老同学约我到此后，在一个院子里居住。
我便立刻写信给校中的执事，报名注册。
岂知到了此地，册上名也没有，更不要说起我们的住处。
这还是小事。
我的同学忽然病了，他们便叫我做他的看护妇。
可怜我车子里几天的辛苦。
那晚又是一夜没睡。
明天医生便来，
说我发了痴，
把我送到这里。
他们又打电报给我的儿子，
说我智识没有了，叫他立刻就来。
我儿子他在林肯的西方一千里，离开此地共是二千五百里。
可怜那个电报定要把他吓死。
况且他又如何能立刻赶到这里？
哈哈！你要睡去了吗？
我可该走了。
我们在月亮的那面再见罢。
哦！你可知道这个金匙是什么？
我不瞒你说，
我年轻的时候，可也不算是一个平庸的人哩。
这也不必提起。
记得我前天离开林肯的时候，有无数的亲戚朋友，围绕了我的

车子,
  说:"你东去藩萨真是福气。
  你须把各种的新闻,一一牢记。
  回来我们可要细细地问你。"
  我说:"这个自然。"
  哪里晓得我的大新闻,
  就是说我自己忽然变了一个痴子!
  明天我回去了,
  少不得要说几句谎话。
  不然,岂不要被他们笑死。
  哈哈! 人家说我发了痴,把我关在这里。

(第五卷第三号,一九一八年九月十五日)

香山早起作,寄城里的朋友们

沈兼士

天刚明,披了衣,拄了杖,
散步到石桥旁,
坐在个石头上,
受他山水的供养。
静悄悄地,领略些带露的草香,
听一阵迎风的松响,
赤脚临水,洗脱了肮脏。
这时候,自然的乐趣,
同那活泼泼的小孩子一样。
一忽而,山头上吐出了太阳,
金闪闪的光,照得北京城隐约可望。
一般都是太阳照的地方,
何以城里那样烦热,
乡下这样清凉?

(第五卷第四号,一九一八年十月十五日)

三溪路上大雪里一个红叶

(六年十二月作的)

胡　适

我行山雪中,抬头忽见你!
我不知何故,心里很欢喜。
踏雪摘下来,夹在小书里。
还想作首诗,写我欢喜的道理。
不料此理很难写,抽出笔来还搁起。

(第五卷第四号,一九一八年十月十五日)

山中杂诗一

沈兼士

泉

脑弱失眠宵洗脚,眼疲抛卷午浇头。
爱他冷冷清清的,傍着梅边自在流。

(第五卷第六号,一九一八年十二月十五日)

山中杂诗二

沈兼士

(西风大作,温度斗降,桥边散步,写所见。)

五更山雨振林木,晨起凉意先上足。
野猫亲人去又来,残蝉咽风断难续。
赤膊小孩抱果筐,晌午桥头行彳亍。
为言"今日天气凉,满筐果子卖不出。
卖不出,不打紧。肚里挨饿可难忍!"

(第五卷第六号,一九一八年十二月十五日)

刘三来言子谷死矣

沈尹默

君言子谷死,我闻情恻恻。
满座谈笑人,一时皆太息。
平生殊可怜,痴黠人莫识。
既不游方外,亦不拘绳墨。
任性以行游,关心惟食色。
大嚼酒案旁,呆坐歌筵侧。
寻常觉无用,当此见风力。
十年春申楼,一饱犹能忆。
于今八宝饭,和尚吃不得!

(第五卷第六号,一九一八年十二月十五日)

悼曼殊

刘半农

(一八(??)——一九一八)

一

这一个人死了。
我与他,只见过一次面,通过三次信。
不必说什么"神交十年""嗟惜弥日",
只觉他死信一到,我神经上大受打击。
无事静坐时,一想到他,便不知不觉说——
"可怜!"

二

有人说他痴,我说"有些像";
有人说他绝顶聪明,我说"也有些像";
有人说他率真,说他做作,我说"都像";
有人骂他,我说"和尚不禁人骂";
更有人说他是"奇人",却遭了"庸死",我说——

"庸死未尝不好!"

三

只此一个和尚,
百千人看了,化作百千个样子。
我说他可怜,只是我的眼光,
却不知道他究竟可怜不可怜。

四

记得两年前,我与他相见,
同在上海一位朋友家里。
那时候,室中点着盏暗暗的石油灯,
我两人靠着窗口,各自坐了张低低的软椅。
我与他谈论西洋的诗,
谈了多时,他并不开口,只是慢慢的吸雪茄。
到末了,忽然高声说——
"半农这个时候,你还讲什么诗,求什么学问!"

五

"犹是阿房三月泥,烧作未央千片瓦。"
这是杭州某人的诗句。
我两人匆匆别了,他有信来,说

"这两句诗,做得甚奇!"

又约我去游西湖说——

"雪茄尚可吸两月,湖上可以钓鱼,一时不到上海了。"

六

西湖是至今没有游成!

(第五卷第六号,一九一八年十二月十五日)

小河

周作人

有人问我这诗是什么体,连我自己也回答不出。法国波特来尔(Baudelaire)提倡起来的散文诗,略略相像,不过他是用散文格式,现在却一行一行地分写了。内容大致仿那欧洲的俗歌。俗歌本来最要叶韵,现在却无韵。或者算不得诗,也未可知,但这是没有什么关系。

一条小河,稳稳地向前流动。
经过的地方,两面全是乌黑的土,
生满了红的花,碧绿的叶,黄的实。

一个农夫背了锄来,在小河中间筑起一道堰,
下流干了,上流的水,被堰拦着,下来不得!
不得前进,又不能退回,水只在堰前乱转。
水要保他的生命,总须流动,便只在堰前乱转。
堰下的土,逐渐淘去,成了深潭。
水也不怨这堰——便只是想流动,
想同从前一般,稳稳地向前流动。

一日农夫又来,土堰外筑起一道石堰。
土堰坍了,水冲著坚固的石堰,还只是乱转。
堰外田里的稻,听着水声,皱眉说道,
"我是一株稻,是一株可怜的小草,
我喜欢水来润泽我,
却怕他在我身上流过。
小河的水是我的好朋友,
他曾经稳稳地流过我面前,
我对他点头,他向我微笑,
我愿他能够放出了石堰,
仍然稳稳地流着,
向我们微笑;
曲曲折折地尽量向前流着,
经过的两面地方,都变成一片锦绣。
他本是我的好朋友,
只怕他如今不认识我了。
他在地底里呻吟,
听去虽然微细,却又如何可怕!
这不像我朋友平日的声音,
——被轻风搀着走上沙滩来时,
快活的声音。
我只怕他这回出来的时候,
不认识从前的朋友了,
便在我身上大踏步过去;

我所以正在这里忧虑。"
田边的桑树,也摇头说,
"我生得高,能望见那小河,
他是我的好朋友,
他送清水给我喝,
使我能生肥绿的叶,紫红的桑葚。
他从前清澈的颜色,
现在变了青黑。
又是终年挣扎,脸上添出许多痉挛的皱纹。
他只向下钻,早没工夫对我点头微笑,
堰下的潭,深过了我的根了。
我生在小河旁边,
夏天晒不枯我的枝条,
冬天冻不坏我的根,
如今只怕我的好朋友,
将我带倒在沙滩上,
拌着他卷来的水草。
我可怜我的好朋友,
但实在也为我自己着急。"

田里的草和蛤蟆,听了两个的话,
也都叹气,各有他们自己的心事。

水只在堰前乱转;
坚固的石堰,还是一毫不摇动。

筑堰的人,不知到那里去了?

八年一月二十一日

(第六卷第二号,一九一九年二月十五日)

两个扫雪的人

周作人

阴沉沉的天气,
香粉一般白云、下得漫天遍地。
天安门外白茫茫的马路上,全没有车马踪迹,
只有两个人在那里扫雪。
一面尽扫,一面尽下;
扫净了东边,又下满了西边;
扫开了高地,又填平了洼地。
粗麻布的外套上,已经积了一层雪,
他们两人还只是扫个不歇。
雪愈下愈大了;
上下左右,都是滚滚的香粉一般白雪。
在这中间,仿佛白浪中浮着两个蚂蚁,
他们两人还只是扫个不歇。
祝福你扫雪的人!
我从清早起,在雪地里行走,不得不谢谢你。

八年一月十三日

(第六卷第三号,一九一九年三月十五日)

微明

周作人

醉了回来,倒头便睡,
蓇腾里不知过了多少时刻。
一觉醒时,——看四面全然昏黑,
只有窗纸上,现出微白。
不知这是黄昏呢?还是黎明?
静听窗外树上的声息,
不知是夜乌呢?是离巢小鸟的叫声?
无论如何,醒了便只得披衣坐起,
看这微明究竟是什么,
睁眼只望着窗纸。

一月二十三日

(第六卷第三号,一九一九年三月十五日)

生机

沈尹默

　　枯树上的残雪,渐渐都消化了;那风雪凛冽的余威,似乎敌不住微和的春气。
　　园里一树山桃花,它含着十分生意,密密的开了满枝。
　　不但这里,桃花好看;到处园里,都是这般。
　　刮了两日风,又下了几阵雪。
　　山桃虽是开着,却冻坏了夹竹桃的叶。地上的嫩红芽,更僵了发不出。
　　人人说天气这般冷,草木的生机恐怕都被挫折;谁知道那路旁的细柳条,他们暗地里却一齐换了颜色!

(第六卷第四号,一九一九年四月十五日)

他

唐　俟

一

"知了"不要叫了,
他在房中睡着;
"知了"叫了,刻刻心头记着。
太阳去了,"知了"住了,——还没有见他,
待打门叫他,——锈铁链子系着。

二

秋风起了,
快吹开那家窗幕。
开了窗幕,会望见他的双靥。
窗幕开了,——一望全是粉墙,
白吹下许多枯叶。

三

大雪下了,扫出路寻他;
这路连到山上,山上都是松柏。
他是花一般,这里如何住得!
不如回去寻他,——啊!回来还是我家。

(第六卷第四号,一九一九年四月十五日)

一颗星儿

胡 适

我喜欢你这颗顶大的星儿,
可惜我叫不出你的名字。
我只记得,每月月圆时,月光遮尽了满天星,总不能遮住你。
今朝风雨后,闷沉沉的天气,
我望遍天边,寻不见一点半半光明,
回转头来,
只有你在那杨柳高头,依旧亮晶晶地!

八年四月二十五夜。

(第六卷第五号,一九一九年五月)

鸟

陈衡哲

狂风急雨,
打得我好苦!
打翻了我的破巢,
淋湿了我美丽的毛羽。
我扑折了翅翮,
睁破了眼珠,
也找不到一个栖身的场所!
窗里一只笼鸟,
倚靠着金漆的栏杆,
侧着眼只是对我看。
我不知道它还是忧愁,还是喜欢?
明天一早,
风雨停了。
煦煦的阳光,
照着那鲜嫩的绿草。
我和我的同心朋友,
双双地随意飞去;

忽见那笼里的同胞，
正扑着双翼在那里昏昏地飞绕——
要想撞破那雕笼，
好出来重做一个自由的飞鸟。
它见了我们，
忽然止了飞，
对着我们不住的悲啼。
它好像是说：
"我若出了牢笼，
不管它天西地东，
也不管它恶雨狂风，
我定要飞它一个海阔天空！
直飞到筋疲力竭，水尽山穷，
我便请那狂风，
把我的羽毛肌骨，
一丝丝的都吹散在自由的空气中！"

（第六卷第五号，一九一九年五月）

散伍归来的吉普色

陈衡哲

（注）吉普色（Gypsy）乃是欧洲的一种游民,最初是从印度进来的,和中国的逃荒相像,没有一定的家乡。他们过的生活是一种飘泊的生涯。有些人唱歌度日,有些人也会靠点小手艺谋生,有些妇人替人看相算命过日子。（适）

漫漫的长路,
明明的星光,
指着那无尽无边的森林,
说:"这是你原来的家乡!"
四年来血污了双手,
恨黑了良心,
更被那炮火枪烟,
迷盲了这两只清明的眼睛。
此刻回到家来,
好教我羞愧得无地藏身。
家乡张开了两臂,
笑迎着我说:

"归来了呀!
这里有如银的雨丝,
如锦的雪霞;
更有那人儿,
怀着真醇的爱情
在那里眼巴巴地望你回家。"
我低着头不敢回答,
眼望着我手上的血迹。
家乡会意,
便笑着向我说:
"那血,我已把它洗去了,
这是你自己复活的新血!"

(第六卷第五号,一九一九年五月)

威权

胡 适

(八年六月十一夜作)

威权坐在山顶上,
指挥一班铁索锁着的奴隶替他开矿。
他说,"你们谁敢倔强?
我要把你们怎么样就怎么样!"

奴隶们做了一万年的工,
头颈上的铁索渐渐地磨断了。
他们说,"等到铁索断时,
我们要造反了!"

奴隶们同心合力,
一锄一锄的掘到山脚底。
山脚底挖空了,
威权倒撞下来,活活地跌死!

(第六卷第六号,一九一九年十一月一日)

欢迎独秀出狱

李大钊

一

你今出狱了,
我们很欢喜;
他们的强权和威力,
终竟战不胜真理。
什么监狱什么死,
都不能屈服了你;
因为你拥护真理,
所以真理拥护你。

二

你今出狱了,
我们很欢喜!
相别才有几十日,

这里有了许多更易。
从前我们的"只眼"忽然丧失,
我们的报便缺了光明,灭了价值;
如今"只眼"的光明复启,
却不见了你和我们手创的报纸!
可是你不必感慨,不必叹惜,
我们现在有了很多的化身,同时奋起。
好像花草的种子,
被风吹散在遍地。

三

你今出狱了,
我们很欢喜!
有许多的好青年,
已经实行了你那句言语:
"出了研究室便入监狱,
出了监狱便入研究室。"
他们都入了监狱,
监狱便成了研究室;
你便久住在监狱里,
也不须愁着孤寂没有伴侣。

(第六卷第六号,一九一九年十一月一日)

乐观

胡　适

（八年八月三十日夜的感想，九月二十八日夜补作。）

一

"这棵大树很可恶,
它碍着我的路!
来!
来快把它斫倒了,——
连树根也掘去!——
哈哈！好了!"

二

大树被斫做柴烧,
树根不久也烂完了。
斫树的人很得意,
他觉得很平安了。

三

但是那树还有许多种子,——
很小的种子,包在有刺的壳里,——
上面盖着枯叶,
叶上堆着白雪,
很小的东西,谁也不注意。

四

雪消了,
枯叶被春风吹跑了。
那有刺的壳都裂开,
每个上面长出两瓣嫩叶,
笑眯眯地,好像是说:
"我们又来了!"

五

过了许多年,
坝上田边,都是大树了。
辛苦的工人在树下乘凉,
聪明的小鸟在树上歌唱,——
那斫树的人哪里去了?

(第六卷第六号,一九一九年十一月一日)

小妹

沈尹默

自从九月六日起,我们的旧家庭里,少了一个你。

小妹!我和你相别许久了。我记得别你时,看得很清楚,——白丝巾蒙着你的脸,身上换了一套簇新的绸衣服。

人力车上坐着一位青年的女子,她用手帕托着腮,——认得她是谁?仔细看来,却不是你。

路上遇见三三两两携手谈心的女青年,他们是谁?听来声音,却都不像你。

幽深的古庙里,小小一间空屋,放着一张尘土蒙着的小桌子,人说你住在这里,我怎能够相信呢?你从前所说的绿茵茵的柳树,清浏浏的河水,和那光明宽敞的房子,却都在哪里?

(第六卷第六号,一九一九年十一月一日)

东京炮兵工厂同盟罢工

周作人

（一九一九年八月至九月）

一

他们替他造枪，
他给他们吃饭。
枪也造得够了，
米也贵得多了。
"请多给我们几文罢！"
"……"

二

"请多给我们几文罢！
米也贵得多了。
我们饭都不够吃了，

也不能替你造枪了。"

三

枪也造得够了。
工厂的锅炉熄了火了，
工人的灶也断了烟了。
拿枪的人出来了，
造枪的人收监了。

一九一九年九月二十一日

（第六卷第六号，一九一九年十一月一日）

答半农的 D——诗

独　秀

不知什么是我？不知什么是你？

到底谁是半农？忘记了谁是 D？

什么顷间，什么八十多天，什么八十多年，都不是时间上重大问题。

什么生死，什么别离，什么出禁与自由空气，什么地狱与优待室，什么好身手，什么残废的躯体，都不是空间上重大问题。

重大问题是什么？

仿佛过去的人，现在的人，未来的人，近边的人，远方的人，都同时说道：

在永续不断的时间中，永续常住的空间中，一点一点画上创造的痕迹；

在这些痕迹中，可以指出那是我，那是你，什么是半农，什么是 D。

弟兄们！姊妹们！

那里有什么威权？不过几个顽皮的小弟兄弄把戏。

他们一旦成了人，自然会明白，自然向他们戏弄过的人陪礼。

那时我们答道：好兄弟，这算什么，何必客气！

他们虽然糊涂，我们又何尝彻底！

当真彻底的人,只看见可怜的弟兄,不看见可恨的仇敌。

提枪杀害弟兄的弟兄,自然大家恨他;

懒惰倚靠弟兄的弟兄,自然大家怨他;

抱着祖宗牌向黑暗方面走的弟兄,自然大家气他;

损人利己还要说假话的弟兄,自然大家骂他;

奉劝心地明白的姊妹弟兄们,不要恨他、怨他、气他、骂他,

只要倾出满腔同情的热泪,做他们成人的洗礼。

受过洗礼的弟兄,自然会放下枪、放下祖宗牌,自然会和做工的不说假话的弟兄,一同走向光明里。

弟兄们! 姊妹们!

我们对于世上同类的姊妹弟兄,都不可彼界此疆,怨张怪李。

我们的说话大不相同,穿的衣服很不一致,有些弟兄的容貌更是稀奇,各信各的神,各有各的脾气;但这自然会哭会笑的同情心,会把我们连成一气。

连成一气,何等平安、亲密!

为什么彼界此疆,怨张怪李?

大家见了面,握着手,没有不客气、平安、亲密,

两下不见面,便要听恶魔底教唆,彼此打破头颅,流血满地!

流血满地,不止一次,他们造成了平安、亲密在哪里?

我们全家的姊妹弟兄,本来一团和气;

忽然出来几位老头儿,把我们分做亲疏贵贱,内外高低;

不幸又出来几条大汉,把一些姊妹弟兄团在一处,举起铁棍,划出疆界,拦阻别的同胞来到这里;

更不幸又出来一班好事的先生,写出牛毛似的条规,教我们团在一处的弟兄,天天为铜钱淘气;

我们为什么要这样分离,失了和气?

不管他说什么言语、着什么衣裳,不管他容貌怎样奇怪、脾气怎样乖强;表面上不管他身上套着什么镣锁,不管他肩上背着什么刀枪,那枪头上闪出怎样的冷光,肮脏皮肉里深藏着自然会哭会笑的同情心,都是一样。

只要懂得老头儿说话荒唐,

只要不附和那量小的大汉,

只要不去理会好事的先生的文章,

这些障碍去了,我们会哭会笑的心情,自然会渐渐地发展。

自然会回复本来的一团和气,百世同堂。

怎地去障碍,怎地叫他快快发展,

全凭你和我创造的痕迹的力量。

我不会做屋,我的弟兄们造给我住;

我不会缝衣,我的衣是姊妹们做的;

我不会种田,弟兄们做米给我吃;

我走路太慢,弟兄们造了车船把我送到远方;

我不会书画,许多弟兄姊妹们写了画了挂在我的壁上;

有时倦了,姊妹们便弹琴、唱歌叫我舒畅;

有时病了,弟兄们便替我开下药方;

倘若没有他们,我要受何等苦况!

为了感谢他们的恩情,我的会哭、会笑的心情,更觉得暗地里增长。

　　什么是神？他有这般力量？

　　有人说：神的恩情、力量更大，他能赐你光明！
　　当真！当真！
　　天上没了星星！
　　风号，雨淋，
　　黑暗包着世界，何等凄清！
　　为了光明，去求真神；
　　见了光明，心更不宁。
　　辞别真神，回到故处，
　　爱我的、我爱的姊妹弟兄们，还在背着太阳那黑暗的方面受苦，
　　他们不能和我同来，我便到那里和他们同住。

十一月十五日

（第七卷第二号，一九二〇年一月一日）

爱与憎

周作人

师只教我爱,不教我憎;
但我虽然不全憎,也不能尽爱。
爱了可憎的,岂不薄待了可爱的?

农夫田里的害虫,应当怎么处?
蔷薇上的青虫,看了很可憎;
但它换上美丽的衣服,翩翩地飞去。
稻苗上的飞蝗,披着可爱的绿衣,
它却只吃稻苗的新叶。
我们爱蔷薇,也能爱蝴蝶。
为了稻苗,我们却将怎么处?

一九一九,十月一日

(第七卷第二号,一九二〇年一月一日)

小湖

刘半农

小湖里一片清流,
水晶般的澄明洁净,
映出它边上的几行杨柳,
和它面上的三五白鸥。
便在黑夜里,
它还透出一片冷光。
地上的树,
天上的星,
和远远近近的渔灯萤火,
都映射在冷光底里,
保存着他们本来的影像。
普遍的黑暗,
却没有能普遍到小湖身上。

到了冬天,
刮几回风,
下几回雪,

小湖里冰冻起来；
墨黑的沙尘，
把它密密封着。
那么，
你或者要悲伤，
说："澄明洁净的小湖，
不幸也变成了这样。"

你情理中的（然而是无谓的）悲伤，
却并不长久。
到明年一见春光，
澄明洁净的小湖，
仍旧还它原样；——
恰恰是一丝不错，
符合着你心中的想望。

(第七卷第二号，一九二〇年一月一日)

一个农夫

双 明

一棵春山似的大树,
撑住火烈烈的太阳。
树下坐着一个抱腿席地的农夫,
喘吁吁地在那里凉凉。
锄头横担在两跨上,
斗笠乱撂在树根旁。
两只精赤的胳膊紫堂堂地拥着宽阔的胸膛。
心头只是辘辘撞:
想!
"今年的收成或许不坏,
却短伊一个人帮着忙!
伊那肚子郎当;
伊那事便在这月头上。"
微微地一阵风,摇曳来清爽;
却带着布机声响。
"唉!伊又闲不惯了!"
忙提起锄头,拾起斗笠,火烈烈的比太阳还要忙。

(第八卷第一号,一九二〇年九月一日)

泥菩萨

双 明

你那伟大的身躯,庄严的相貌,什么也轮不到你消耗。只可惜你满腔抱着的灵苗,反不如料草;料草落肥田,会变黄金似的稻。

你偏偏朝也香花,晚也烛爆。

渠们雕镂你、粉饰你、供养你的,也无非贪图一饱。

但是你要知道,

仰仗你的饱了几个,却饿了多少。

从今后我愿你碎碎纷纷,回到陇上田间,作成些春华秋草!

就算你眼前挨着人家笑,

将来你也免得人家吊。

泥菩萨呵:

渠们替你做成的噩梦,你到几时醒了?

(第八卷第一号,一九二〇年九月一日)

紫踯躅花之侧

康白情

一对赤着脚的小儿女,
(至多不过十六七罢)
搬了满车的稻梗,
慢慢地走过紫踯躅花之侧。
妇人推着;
男子挽着;
曼声歌着;
叽嘎叽嘎的车声,
浅不凌,浅不凌的鸟讴声,
自然成韵地和着。
蓝花的白帕子漾着满田坎的紫踯躅花。
紫踯躅花有什么香,
他们并不觉得。
紫踯躅花有什么色,
他们并不觉得。

一九二〇年五月,在东京访新村作

(第八卷第一号,一九二〇年九月一日)

牧羊儿的悲哀

刘 复

他在山顶上牧羊；
他抚摩着羊颈的柔毛，
说"鲜嫩的草，
你好好的吃罢！"

他看见山下一条小涧，
急水拥着落花，
不住的流去。
他含着眼泪说，
"小宝贝，你上哪里去？"

老鹰在他头顶上说，
"好孩子，我耍把戏给你看：
我来在天顶上打个大圈子！"

他远望山下的平原：
他看见礼拜堂的塔尖，

和礼拜堂前的许多墓碣;
他看见白雾里,
隐着许多人家。
天是大亮的了,
人呢?——早咧,早咧!

哇!
他回头过去,放声号哭:
"羊呢? 我的羊呢?"
他眼光透出眼泪,
看见白雾中的人家;
看见静的塔尖,
冷的墓碣。
人呢?——早咧!
天是大亮的了!
他还看见许多野草,
开着金黄色的花。

一九二〇,六,七

(第八卷第二号,一九二〇年十月一日)

地中海

刘　复

我乘着新凉天气，
从亚洲来到欧洲，
最先看看的，
便是淡淡的斜阳，
闪动着一片葡萄酒色的地中海。
地中海！
我敬你，爱你；
你是孕育文明的慈母：
你把你的乳汁哺养他，
从最初时直到现在。

但是，唉！
那边水面上，
露出三两个桅杆，
油漆也剥落了，
绳索也断了：
即此一点，

便可想见五六年来,
……
慈母啊!
我想你心中,
一定有无限的悲哀。
但是慈母的心肠,
只是单纯的爱。
我还希望你,
把过去的眼泪,
化成无限的乳汁,
哺养那无限的未来。

一九二〇年三月八日下午三时

(第八卷第二号,一九二〇年十月一日)

绍兴西郭门的半夜

俞平伯

一

乌篷推起,没遮拦的踞在船头上。
三里——五里——如画的土墙傍在眼前;
臃肿的山,那瘦怯的塔,
也悄悄的各自移动。
月光——今朝遍满,
画就的分明,
厮对着个画不成的荡漾。
一切所有一切,
深深浸在清寒里边。
死乡的寂寞!
只胜咿呀咿呀橹枝打水声。
呵的! 倦意浓,凉意足,
那衣角儿几时的又湿滋滋沿透!
灯火骤黄,十里了! 西郭门。

二

夜幕张开,睡魔醒来,
热烘烘一座闹市,
竟留不下一些儿声息。
铺门下闩了,
门缝里的火光更蒙胧了;
只粉墙垛儿夹着屋角檐,
尖尖戳着那天。
我踱来踱去痴痴的:
这怕是坟堆呢?
将来的罢?
不是啊!正现在呢!
死乡的寂寞,
不仅是人们,谁得不去!
这该心悸么?
当得你的赏玩呀!
去——先试试去爱着罢。
万万的金星直上的蹿,
从很远的屋顶,
马上吓跑了这弄人的撒旦。

三

墙缺处偷双眼睛,

两人忙着做俩自己的工。
风炉抽动,蓬蓬涌起一股火柱,
一上一下耀着四围,——
酱赭的皮肉,蓝紫的筋脉,
都在血黄的芒角下赤裸裸地。
流铁红满了勺子,猛然间泻出;
银电的一溜,花筒也似的喷溅。
眩人的光呀!劳人的工呀!
沉凝的空气,终不受一些一滴的震荡。
死乡的寂寞,重新回到;
将要更深呢!
相信那自然的,人的,人配自然的,
开着形形色色的花朵。
烂漫上这灰色的土泥。
背转脸的美和爱,
两重的恩惠,
裹着脚就可欣然吗?
他总已经给了你们哩!

(第八卷第三号,一九二〇年十一月一日)

《尝试集》集外诗五篇

胡　适

我们三个朋友

（九，八，二二，赠任叔永与陈莎菲。）

（上）

雪全消了，
春将到了，
　只是寒威如旧。
冷风怒号，
万松狂啸，
　伴着我们三个朋友。
风稍歇了，
人将别了，——
　我们三个朋友。
寒流秃树，
溪桥人语，——
　此会何时重有？

（下）

别三年了！

月半圆了,
照着一湖荷叶;
照着钟山,
照着台城,
照着高楼清绝。
别三年了,
又是一种山川了,——
依旧我们三个朋友。
此景无双,
此日最难忘,——
让我的新诗祝你们长寿!

湖　上

　　九,八,二四,夜游后湖——即玄武湖,——主人王伯秋要我作诗,我竟做不出诗来,只好写一时所见,作了这首小诗。

水上一个萤火,
水里一个萤火,
平排着,
轻轻地,
打我们的船边飞过。
他们俩儿越飞越近,
渐渐地并作了一个。

译张籍的《节妇吟》有跋

（原文）君知妾有夫，赠妾双明珠。感君缠绵意，系在红罗襦。妾家高楼连苑起，良人执戟明光里。知君用心如日月，事夫誓拟同生死。还君明珠双泪垂，何不相逢未嫁时？

你知道我有丈夫，
你送我两颗明珠。
我感激你的厚意，
把明珠郑重收起。
但我低头一想，
忍不住泪流脸上：
我虽知道你没有一毫私意，
但我总觉得有点对他不起。

我噙着眼泪把明珠还了，——
只恨我们相逢太晚了！

中唐的诗人很有几个注意社会问题的。元微之，白乐天的乐府自然是人人都认为有"社会文学"的价值的，不用说了。当时还有许多"社会诗人"，为元稹自序里说的李绅，李余，刘猛，都有讨论社会问题的乐府。只可惜这三个人的乐府都不传了。但是当时做这种社会乐府的许多诗人之中，最有文学天才的要算张籍。张籍的乐府在唐代文学里要算是第一人了。他的《贾客乐》《将军行》《少年行》《董逃行》《牧童词》《筑城词》《山农词》《别离曲》《妾薄命》《促促词》《山头鹿》《离妇》，都是极好的社会文学。我最爱的是《乌夜啼引》和《节妇吟》两篇，这两篇都是中国文学里绝无而仅有的"哀剧"。我在病中读了他的全集，译了这两篇解闷；可惜《乌夜啼》引译的不好，不值得存稿；现在只存这一篇。

这首诗中间"妾家高楼连苑起，良人执戟明光里"两句，还不能完全脱去古诗《陌上桑》"东方千余骑，夫婿居上头"等话的俗套，所以我把他们删去了。

此诗的长处在于有哀剧"Tragedy"的意味。《陌上桑》的好处在于天真烂漫，但没有哀剧意味。我译的《老洛伯》诗的末段：

我如今坐也坐不下，
哪有心肠纺纱？
我又不敢想着他：
想着他须是一桩罪过。
我只得努力做一个好家婆，
我家老洛伯并不曾待差了我。

与张籍这篇的末段是同样的哀剧。张籍写了这种境地，却题做"节妇吟"，便可见他的卓识。张籍做"妇人问题"的诗，用意都比别人深一层。

如《妾薄命》云：
……君爱龙城征战功，妾愿青楼歌乐同。
人生各个有所欲，讵得将心入君腹？

又如《离妇》云：

十载来夫家，闺门无疵瑕。薄命不生子，古制有分离。……有子未必荣，无子坐生悲。为人莫作女，作女实难为！

这竟是痛骂孔二先生了。

九，八，三〇

艺　术

报载英国第一"莎翁剧家"福北洛柏臣（Forbes-Robertson）（复姓）现在不登台了，他最后的"告别辞"说他自己做戏的秘诀只是一句话："我做戏要做的我自己充分愉快"。这句话不单可适用于做戏；一切艺术都是如此。病中无事，戏引申这话，做成一首诗。

我忍着一副眼泪，
扮演了几场苦戏？
一会儿替人伤心，
一会儿替人着急。
我是一个多情的人，
这副眼泪如何忍得？
做到了最伤心处，
我的眼泪热滚滚地直滴。
台下的人看见了，
不住地拍手叫好。——

他们看他们的戏,
那懂得我的烦恼?

九,九,二二

例　外

自从我闭门谢客,
果然客渐稀疏。
最顽皮的是诗神,
挡驾也挡他不住。
我把酒和茶都戒了,
近来戒到淡巴菰,
本来还想戒新诗,
只怕我赶诗神不去。

诗神含笑说:
"我来决不累先生,
谢大夫不许你劳神,
他不能禁你偶然高兴。"
他又涎着脸劝我:
"新诗做做何妨?
做得一首好诗成,
抵得吃人参半磅!"

九,十,六,病中

(第八卷第三号,一九二〇年十一月一日)

秋夜

玄　庐

一　在家园里

竹外青天，
天上缀着一轮月。
微风吹动竹梢头，
影上粉墙三十尺。
这样秋光，
把心灵照得十分透彻。
从那里来也，一声长笛？

二　在野坂底

几棵大树黑簇簇，
树下几间茅草屋；
板门关得静悄悄，
家家困得稀烂熟。

其时月光横过茅屋顶,
茅屋顶上抹落几堆大树影。
月亮亮清清,
树影阴森林,
有人为"车夜水"开出门。
砰的一声门闩落,
惊起邻家小儿哭。

(第八卷第四号,一九二〇年十二月一日)

儿歌

周作人

小孩儿，你为什么哭？
你要泥人儿么？
你要布老虎么？
也不要泥人儿，
也不要布老虎；
对面杨柳树上的三只黑老鸹。
哇儿哇儿的飞去了。

这篇诗是我仿儿歌而作的。我想新诗的节调，有许多地方可以参考古诗乐府与词曲，而俗歌——民歌与儿歌——是现在还有生命的东西，他的调子更可以拿来利用。我这一篇只想模拟儿歌的纯朴这一点，也还未能做到。三只黑老鸹并不含有什么神秘的意思，不过因为乌鸦很多，最为习见罢了。儿童性爱天物，他的拜物教的思想，融入诗中，可以造成一种汎神思想的意境，许多有名的儿童诗都是这样；但是我们不容易希望做到罢了。

十月二十二日

(第八卷第四号，一九二〇年十二月一日)

乐观

俞平伯

一

天外的白云,
云面前绿洗过的梧桐树;
云尽悠悠的游着,
梧桐呢,自然摇摇摆摆的笑呵!
这关着些什么? 且正远着呢!
是的,原不关些什么!

二

可是云后边那一个,嗖嗖地下来。
桐叶见也只一顺风的飘,
翠衣内那金黄斑点,
一翻一摺的自己弄着。
不更妆点些颜色?

是呵！也真觉得如此！

三

可是新来的客人会淘气呵，
不肯逢迎谁们的心理。
西风阵阵紧紧；
梧桐也顿然老了，
黄的换上褐的了，
沙沙拉拉颤摇哭着。
谁还理会着，剩得烦厌罢，
谁能提起以前的事！

四

"一叶落，秋深了，"
声音去还未远。
今朝千千万的遍洒，
反随着脚见乱踹，
趁着帚儿乱扫。
老实说，憔悴也可爱的，
又何可避的。
那里是当日的眩媚？
运命先生正笑哩！
"他既不为你来的；

你为甚偏喜欢随他去呢?"

九,十一,四

(第八卷第五号,一九二一年一月一日)

梦与诗

胡　适

都是平常经验,
都是平常影像,
偶然涌到梦中来,
变幻出多少新奇花样!
都是平常情感,
都是平常言语,
偶然碰着个诗人,
变幻出多少新奇诗句!
醉过方知酒浓,
爱过方知情重:——
你不能做我的诗,
正如我不能做你的梦。

（自跋）这是我的"诗的经验主义"（Poetic empiricism）。简单一句话：做梦尚且要经验做底子,何况做诗？现在人的大毛病就在爱做没有经验做底子的诗。北京一位新诗人说"棒子面一根一根的往嘴里送"；上海一位诗学大家胡怀琛先生说"昨日蚕一眠,今日蚕二眠,明日蚕三眠,蚕眠人不眠"！吃面养蚕何尝不是世间最容易的事？但没有这种经验的人,连吃面养蚕都不配说。——何况做诗？

九,一〇,一〇

(第八卷第五号,一九二一年一月一日)

奶娘

刘 复

我呜呜地唱着歌,
轻轻地拍着孩子睡。
孩子不要睡,
我可要睡了!
孩子只还哭,
我可不能哭。

我呜呜地唱着,
轻轻地拍着;
也不知道
是什么时候了,
孩子才勉强地睡着,
我也才勉强地睡着。
我睡着了
还在呜呜地唱
还在轻轻地拍;
我梦里看见

拍着我自己的孩子,
他热温温的
在我胸口儿睡着……

啊啦!——
孩子又醒了,
我,我的梦!——也就醒了。
　　　　　　　（一九二一年一月一九日伦敦）

　　　　　（第九卷第四号,一九二一年八月一日）

一个小农家的暮

刘　复

她在灶下煮饭,
新砍的山柴,
哔哔剥剥地响。
灶门里嫣红的火光,
闪着她嫣红的脸,
闪红了她青布的衣裳。

他含着个十年的烟斗,
慢慢地从田里回来;
屋角里挂去了锄头,
便坐在稻床上,
调弄着只亲人的狗。

他还踱到栏里去,
看一看他的牛;
回头向她说,
"怎样了——

我们新酿的酒？"
门对面青山的顶上，
松树的尖头，
已露出了半轮的月亮。

孩子们在场上
看着月，
还数着天上的星：
"一，二，三，四……"
"五，八，六，两……"

他们数，
他们唱：
"地上人多心不平，
天上星多月不亮。"

（一九二一年二月七日伦敦）
此二语是江阴谚。

（第九卷第四号，一九二一年八月一日）

病中的诗

周作人

自从三月中肋膜炎复发,进了病院之后,连看书写字都被禁止,变成了纯粹的病人,除却生病以外,一件事都不能做了。但是傍晚发热以及早晨清醒的时候,常有种种思想来到脑里,有的顷刻消灭,有的暂时存留;偶值兄弟走来看我,便将记得的几篇托他笔录下来,作一个记念,这结果便是我的《病中的诗》。或者有人想,躺在病室里,隔开世事,做诗消遣,似乎很是风雅的事。其实是不然的。因为我这些思想的活动,大概在发热苦痛中居多,并非从愉快里得来的。待到病苦退去的时候,这种东西也自然要渐渐减少的罢。

一九二一年四月十七日

原诗计六首,现在又添上了首尾的两首,一总八篇。第八首本为日本的杂志《生长的星之群》而作:武者小路君替他们所办的这杂志来要材料,我译了几首诗,又新作了这一首寄去。现在译出,便附在这后面。

九月五日再记

一　梦想者的悲哀

读 Bebel 的《妇人论》而作

"我的梦太多了。"
外面敲门的声音，
恰将我从梦中叫醒了。
你这冷酷的声音，
叫我去黑夜里游行么？
啊，曙光在哪里呢？
我的力真太小了，
我怕要在黑夜里发了狂呢！
穿入室内的寒风，
不要吹动我的火罢。
灯火吹熄了，
心里的微焰却终于不灭，——
只怕在风中发火，
要将我的心烧尽了。
啊，我心里的微焰，
我怎能长保你的安静呢？

一九二一年三月二日

二　过去的生命

这过去的我的三个月的生命，哪里去了？

没有了,永远的走过去了。
我亲自听见他沉沉的,缓缓的,一步一步的,
在我床头走过去了。
我坐起来,拿了一支笔,在纸上乱点,
想将他按在纸上,留下一些痕迹,——
但是一行也不能写,
一行也不能写。
我仍是睡在床上,
亲自听他沉沉的,缓缓的,一步一步的在我床头走过去了。

四月四日在病院中

三　中国人的悲哀

中国人的悲哀呵,
我说的是做中国人的悲哀呵。
也不是因为外国人欺侮了我;
也不是因为本国人迫压了我;
他并不指着姓名要打我,
也并不喊着姓名来骂我。
他只是向我对面走来,
嘴里哼着什么曲调,一直过去了。
我睡在家里的时候,
他又在墙外的他的院子里,
放起双响的爆竹来了。

四月六日作

四　歧路

荒野上许多足迹,
指示着前人走过的道。
有向东的,有向西的,
也有一直向南去的;
这许多道路究竟到一同的去处么?
我的性灵使我相信是这样的。
而我不能决定向哪一条路去,
只是睁了眼望着,站在歧路的中间。
我爱耶稣,
但我也爱摩西。
耶稣说:"有人打你右脸,连左脸也转过来由他打。"
摩西说:"以眼还眼,以牙还牙。"
吾师乎,吾师乎!
你们的言语怎样的确实呵!
我如果有力量,我必然跟耶稣背十字架去了。
我如果有较小的力量,我也跟摩西做士师去了。
但是,懦弱的人,
你能做什么事呢?

四月十六日

五　苍蝇

我们说爱,

爱一切众生；
但是我——却觉得不能全爱。
我能爱狼和大蛇，
能爱在林野背景里的猪。
我不能爱那苍蝇。
我憎恶它们，我诅咒它们。
大小一切的苍蝇们，
美与生命的破坏者，
中国人的好朋友的苍蝇们呵！
我诅咒你的全灭，
用了人力以外的
最黑最黑的魔术的力。

四月十八日

六　小孩

一个小孩在我的窗外跑过，
我也望不见他的头顶。
他的脚步声虽然响，
但于我还很寂静。
东边一株大树上住着许多乌鸦，
又有许多看不见的麻雀，
它们每天成群的叫，
仿佛是朝阳中的一部音乐。
我在这些时候，

心里便安静了，
反觉得以前的憎恶，
都是我的罪过了。

四月二十日

七 小孩

（一）

我看见小孩，
每引起我的贪欲，
想要做富翁了。
我看见小孩，
又每引起我的瞋恚，
令我向往种种主义的人了。
我看见小孩，
又每引起我的悲哀，
洒了我多少心里的眼泪：
呵，你们可爱的不幸者，
不能得到应得的幸福的小人们！
我感谢种种主义的人的好意，
但我也同时体会得富翁的哀愁的心了。

（二）

荆棘丛里有许多小花，
长着憔悴嫩黄的叶片。
将它移在盆里端去培植呢？

拿锄头来掘去荆棘呢?

呵,呵,

倘使我有花盆呵!

倘使我有锄头呵!

五月四日

八　对于小孩的祈祷

小孩呵,小孩呵,

我对你们祈祷了。

你们是我的赎罪者。

请你们赎我的罪,

和我所未能赎的先人的罪,

用了你们的笑,

你们的欢喜与幸福,

能够成了真正的"人"的荣誉。

你们的前面有美的花园,

平安的往那边去罢,

从我的头上跳过了,

而且替我赎了那个罪,——

我不能走到那边,

并且连那微影也容易望不见了的罪。

八月二十八日在西山

(第九卷第五号,一九二一年九月一日)

山居杂诗

周作人

一

一丛繁茂的藤萝,
绿沉沉地压在弯曲的老树的枯株上,
又伸出两三枝粗藤,
大蛇一般的缠到柏树上去;
在古老深碧的细碎的柏叶中间,
长出许多新绿的大叶来了。

二

六株盆栽的石榴,
围绕着一大缸的玉簪花,
开着许多火焰似的花朵。
浇花的和尚被捉去了,
花还是火焰似的开着。

三

我不认识核桃,
错看它作梅子,
卖汽水的少年,
又说它是白果。
白果也罢,梅子也罢,
每天早晨走去看它,
见它一天一天的肥大起来,
总是一样的喜悦。

一九二一年八月十日在北京西山

四

不知什么形色的小虫,
在槐树枝上吱吱的叫着。
听了这迫切尖细的虫声,
引起我一种仿佛枯焦气味的感觉。
我虽然懂得它歌里的意思,
但我知道它正唱着迫切的恋之歌,
这却也便是它的迫切的死之歌了。

六月十七日晚

五

一片槐树的碧绿的叶,
现出一切的世界的神秘;
空中飞过的一个白翅膀的百蛉子,
又牵动了我的惊异。
我仿佛会悟了这神秘的奥义,
却又实在未曾了知。
但我已经很是满足,
因为我得见了这个神秘了。

六月二十一日

六

后窗上糊了绿的冷布,
在窗口放着两盆紫花的松叶菊;
窗外来了一个大的黄蜂,
嗡嗡地飞鸣了好久,
却又惘然的去了。
啊,我真做了怎样残酷的事呵!

六月二十二日

七

"苍蝇纸"上吱吱的声响

是振羽的机械的发音么？
是诉苦的恐怖的叫声么？
"虫呵,虫呵！难道你叫着,业便会尽了么？"
我还不如将你两个翅子都粘上了罢。

六月二十五日在西山

(第九卷第五号,一九二一年九月一日)

平民学校校歌

胡 适

靠着两只手,
拼得一身血汗,
大家努力做个人,——
不做工的不配吃饭!

做工即是学,
求学即是做工:
大家努力做先锋,
同做有意识的劳动!

十.四.十二。

(注)此歌曾经赵元任先生及萧友梅先生各为制有曲谱。

(第九卷第六号,一九二二年七月一日)

希望

胡　适

我从山中来,
带得兰花草;
种在小园中,
希望开花好。

一日望三回,
望到花时过;
急煞种花人,
苞也无一个。

眼见秋天到,
移花供在家。
明年春风回,
祝汝满盆花!

十.十.四。

(第九卷第六号,一九二二年七月一日)

悲哀的青年

汪静之

漠漠的海边上,
青年在那里彷徨踯躅。
看不透的汪洋,
茫茫无去路!

他虽生在热闹的人间,
但何曾有他的伴侣?
他只是孤独呵,
他只是孤独呵!
他寻遍了人间,
终寻不着光,寻不着花,寻不着爱呵。

他忍不过看这般的世界,
他想高高飞上天;
人们却阻压他,
诱惑他在下界流连。
他的脸在人间笑,

他的心在空中啼。
现在的环境令他哭,
只有希望中的将来引他强笑。
他想任意狂游,
但怎能如他愿呢?
爹妈的慈爱围着他,
爹妈的情丝捆着他,
把他镣铐在他们的心里。
他们虽是爱他,
却不能了解他;
这样愚笨的爱意,
尽够斫丧他的前途了。
汉漠的海边上,
青年在那里彷徨踯躅。
看不透的汪洋,
茫茫无去路!

一九二二.三.二二.杭州

(第九卷第六号,一九二二年七月一日)

飞来峰和冷泉亭

瞿秋白

飞来峰下坐听瀑泉,
我恨不能再乘风飞去。
且来此冷泉石上,
做个中流的砥柱。
只听你湍流奔泻,
急节繁响怒号千古。
始终听不出个:
"你为什么飞来,
为什么又飞不去?"

难道虚名儿叫冷,
出山心却热!
怪不得这样咆哮奔放,如泄积怒,
毕竟也枉称飞来,原来是力求飞去。

一九二三年七月

(季刊第二期,一九二三年十二月二十日)

出狱

刘拜农

同胞们都在地狱中,
你们怎能不入狱?
同胞们都在地狱,
你们怎可长入狱?

为了解放受压迫的同胞,
你们同入狱。
入狱复出狱,
片刻不忘同胞的幸福。

回首望故乡,
虎狼当道行人伤。
伤害我们犹可,
莫使三千万同胞都喂了虎狼。

你们是受压迫的平民的使者,
你们是弱者的朋友。

我谨在你们出狱时，
代表受压迫的平民，
代表弱者，
祝你们一杯酒。

一九二三年十一月

（季刊第二期，一九二三年十二月二十日）